D1177694

Túpac Amaru
Ramón J. Sender

Ramón J. Sender

Túpac Amaru

Ediciones Destino
Colección
Áncora y Delfín
Volumen 414

Consejo de Ciento, 425. Barcelona-9
Primera edición: abril 1973
Segunda edición: febrero 1980
Depósito legal: Z-133-1980
ISBN: 84-233-0771-9
Impreso por Cometa, S. A.
Ctra. Castellón, km. 3,4. Zaragoza-13
Impreso en España - Printed in Spain

Antes de comenzar

Un día estaba en mi clase como profesor de UCLA (University of California in Los Angeles) hablando no recuerdo de qué, cuando una estudiante mejicana mestiza y bastante bien parecida alzó la voz y con los ojos iracundos dijo sin venir a cuento:

—Ustedes los españoles explotaron a los indios e hicieron con ellos toda clase de atrocidades.

Yo le dije:

—Señorita, no fuimos nosotros sino ustedes.

—¿Cómo?

—Mis parientes y los amigos de mi familia estaban en su aldea trabajando sencilla y honradamente. Fueron los antepasados de usted los que hicieron todas esas tropelías.

Ella no comprendía e insistía en acusarme con los ojos encarnizados y, entre las risas de los otros estudiantes divertidos con aquel malentendido, yo repetía:

—Señorita, el Consejo de Indias desde el siglo XVI legislaba en favor de los indios y enviaba órdenes y cédulas exigiendo que se les tratara humanamente, dándoles los mismos derechos que a los colonizadores españoles.

—¿Dónde están esas órdenes y esas leyes?

—En el Archivo de Indias, en Sevilla. Y muchas de ellas, impresas y publicadas por historiadores famosos de México y Suramérica. Naturalmente, usted no tiene tiempo para leerlo todo, pero si le interesa puede encontrar en la biblioteca de la Universidad toda la información que desee. Yo le ayudaré con mucho gusto.

—Si lo que dice usted es verdad, ¿cómo sucedieron los desastres y las crueldades que todo el mundo conoce?

—Ya le digo que la culpa fue de los antepasados de usted: sus abuelos, sus bisabuelos, sus tatarabuelos. Se negaban a obedecer las leyes que hacíamos nosotros en España en favor de los indios.

—Eso habría que verlo.

—No puede estar más claro.

Como toda la clase reía (mis argumentos no podían ser más sencillamente claros y convincentes) ella acabó por comprender y se marchó airadamente de la clase.

Desde entonces yo quería escribir algo sobre el último Inca, el famoso Túpac Amaru. No para defender a españoles como el virrey Jáuregui o el visitador general Areche, que no tienen defensa, sino para restablecer la verdad. Suprimida la rebelión de Túpac Amaru, el mismo abyecto visitador real José Antonio de Areche confesaba en una carta al ministro de Indias José Gálvez:

"Los daños que ha sufrido el indio son bien notorios, y si no fuera extraviarme mucho de lo que pide este informe, lo expondría, y con rubor acaso habría de confesar tenía mucha culpa la conducta de los que han merecido la confianza más particular. Al contemplar que los sueldos señalados a los que sirven al Rey no dan sino escasamente para mantener la decencia correspondiente, y ver que en pocos años se forman crecidos caudales, y muchos de quienes no se puede atribuir al frívolo pretexto del comercio, es preciso confesar que se han adquirido con la violencia, la extorsión, el dolor, el contrabando y otra infinidad de iniquidades."

Dos años después de la ejecución de Túpac Amaru los corregimientos fueron suprimidos (base del programa del caudillo Inca) y sustituidos por el régimen de las intendencias, como dice el famoso historiador argentino Boleslao Lewin.
Y el mismo virrey Jáuregui, que reprimió a sangre y fuego la sublevación de los indios, escribía a su vez que: "las turbulencias pasadas no nacían de un solo principio sino de muchos, como el exceso de los repartimientos, las mitas, los obrajes, las demasías de los diezmeros, las vejaciones de los cobradores fiscales, la infracción de los privilegios concedidos a los indios, su dificultad suma en alcanzar justicia, la venerada memoria de los Incas y la es-

peranza que en la crédula muchedumbre había despertado Túpac Amaru".

Yo he creído siempre que, aparte otras razones de orden estético, lírico, cultural, o de simple entretenimiento y amenidad, la razón que justifica sobre todo esta tarea de escribir (en nuestros turbios tiempos) es la necesidad de definir el mal y hacerlo patente en las conciencias de todos. Tal vez así, un día aprenderemos a atenuarlo ya que no a suprimirlo.

Pero naturalmente con la verdad. Una de las peores raíces del mal está en la proclamación y divulgación de falsas verdades. *Es decir, en la creación de mitos malignos capaces de confundir las mentes y descarriarnos a todos en nuestra conducta de cada día. Uno de esos mitos es nuestro* idealismo *de colonizadores.*

Aparte de todo esto yo tuve siempre una gran simpatía, admiración y piedad natural por José Gabriel Túpac Amaru que sublevándose creía cumplir la voluntad de los Consejos de Indias. Ésta, era esa dosis de ingenuidad y de sencilla nobleza que hay en todos los hombres superiores. O tal vez esa extraordinaria capacidad de intuición dialéctica que hay en los grandes genios políticos. En cualquiera de los dos casos, Túpac Amaru está llamado a ser el mito indigenista de los países americanos de habla española.

Como dice un refrán quechua: "Nucanquis purinanchis, ñañun puscananchis", *es decir: "El fuerte que llora con el débil (o el que sufre con nosotros), ése vivirá"*.

R. J. S.

Prólogo que el lector se puede saltar

Es curioso ver cómo, a dos siglos de distancia, el movimiento de rebeldía de Túpac Amaru se reproduce en otros países sudamericanos con la misma confusión de matices doctrinales, y de conducta, que caracterizaron en 1780 el levantamiento del famoso José Gabriel I, Inca por la gracia de Dios, Rey del Perú, de Santa Fe, Quito, Chile, Buenos Aires y continentes de los mares del Sur.

¿Son los *tupamaros* uruguayos comunistas, fascistas, "nueva izquierda", anarquistas o de tendencias fascistoides? ¿Son aristócratas o plebeyos? ¿Qué clase de gobierno preconizan? Preguntas parecidas se hacían también al principio los que vivieron en tiempos de Túpac Amaru y fueron testigos o partícipes de su sublevación. Aunque decían *comuneros* en lugar de *comunistas.* Al principio Túpac Amaru, indio puro descendiente de los Incas del Cuzco, decía alzarse en nombre del rey Carlos III, de quien había recibido por medio de cédulas reales encargo de suprimir los repartos, las *mitas* y los empleos de corregidor. Los repartos eran la obligación que se imponía a los indígenas de comprar, a precios oficiales, los productos que llegaban de España (les hicieran falta o no), las *mitas* eran las

levas obligatorias para trabajar en las minas, especialmente en las de plata del cerro de Potosí, y en cuanto a los corregidores ejercían la justicia, vendiendo la impunidad y la libertad al mejor postor.
Túpac Amaru era hombre seco y musculado, de color cobrizo, de media edad, cacique de Tungasuca, en el altiplano. Consciente de su nobleza de sangre, vestía como gran señor al estilo europeo: calzas negras de terciopelo y chupa del mismo color con encajes. Zapato negro de hebilla de plata y tricornio, según la moda de la época.
A otro cacique indio le escribe en los primeros días del levantamiento en los siguientes términos: "Tengo orden superior para extinguir corregidores, lo que comunico á Vd. para que haga lo mismo que yo. Se impondrá Vd. de la copia que va adjunta, y en virtud publique Vd. personalmente en forma de bando, en todos los pueblos, y plante horcas para todos los renitentes *(sic)*. Hecha esta diligencia, en voz del Rey, nuestro Señor, convoque Vd. toda la provincia y los que fuesen necesarios, y habiéndolo preso al corregidor presente, como al pasado, pondrá Vd. sus bienes en buena guardia y custodia.
"Esta órden no es contra Dios, ni contra el Rey, sino contra las malas administraciones. Deseo que Dios guarde la vida de usted muchos años. — Tun-

gasuca, noviembre 15 de 1780. Besa las manos de Vd. su más amante primo. — *José Gabriel Túpac Amaru*".

Al mismo tiempo, Túpac Amaru enviaba copia del edicto de sublevación para que fuera fijado en los pueblos de todas las provincias y en los atrios de las iglesias, de modo que nadie pudiera alegar ignorancia. Ese edicto iba dirigido a los indios principalmente, y decía así:

"Por cuanto el Rey me tiene ordenado proceda extraordinariamente contra varios corregidores y sus tenientes, por legítimas causas que ahora se reservan; y hallándose comprendido en la real órden el corregidor de esa provincia y su teniente general, y no pudiendo yo practicar las diligencias que el caso exige, por tener otras á la vista que piden mi física asistencia para su remedio, para que tenga el efecto debido la real órden subrogo en mi lugar al Gobernador D. Bernardo Sucacagua, quien inmediatamente prenderá con mayor cautela al corregidor y su teniente, convocando para el fin la soldadesca é indios de dicha provincia, manteniendo a los reos en la más segura prisión con guardias de vista, negándoles toda comunicación, hasta que determine otra cosa: haciendo inventarios legales de todos los bienes y papeles que se les encontrasen, sin reserva de cosa alguna, de lo que se me dará la más segura noticia. Pues todos estos bienes corresponden al real patrimonio y buena administración de justicia, para resarcir por este medio los agravios que los indios y otros individuos han sufrido hasta el día. Fecho en el pueblo de Tungasuca, á 15 de noviembre de 1780".

Al dirigirse a los criollos cambiaba de acento y de argumentación, pero ni con unos ni con otros tomaba aires — todavía — separatistas. Eso llegó más tarde, pensando quizás atraerse de ese modo la ayuda de Inglaterra que estaba en guerra con la corona española.

El edicto separatista del cual hallaron una copia en los bolsillos de Túpac Amaru cuando lo detuvieron y arrestaron un año más tarde, tenía un acento diferente. Decía:

Bando de Túpac Amaru publicado en Silos

"Don José Gabriel I, por la gracia de Dios, Inca, Rey del Perú, de Santa Fe, Quito, Chile, Buenos Aires y continente de los mares del Sur, Señor de los Césares y Amazonas, con dominio en el gran Paitití, comisionado y distribuidor de la piedad divina, por el erario sin par.

"Por cuanto es acordado por mi Consejo, en junta prolija, por repetidas ocasiones, ya secretas y ya públicas, que los Reyes de Castilla han tenido usurpada la corona y los dominios de mis gentes cerca de tres siglos, presionándome los vasallos con insoportables gabelas y tributos, sisas, lanzas, aduanas, alcabalas, estancos, contratos, diezmos, quintos, virreyes, audiencias, corregidores y demás ministros, todos iguales en la tiranía, vendiendo la justicia en almoneda, con los Escribanos de esta fe, a quien más puja y a quien más da, entrando en esto los empleados eclesiásticos y seculares del Reino, quitando vidas a sólo los que no pudieron ó no supieron robar, todo digno del más severo reparo.

"Por tanto, y por los justos clamores, que con generalidad han llegado al Cielo, en el nombre de Dios Todopoderoso, mando que ninguna de las órdenes se obedezca en cosa alguna á los ministros europeos intrusos, y sólo se deberá todo respeto al sacerdocio, pagándole el diezmo y la primicia inmediatamente, como se da a Dios, y el tributo y quintos a este su Rey y Señor natural, con la moderación debida, y para el más pronto remedio, y guarda de todo lo susodicho, mando se reitere y publique la jura hecha de mi real corona, en todas las ciudades, villas y lugares de mis dominios, dándonos parte con toda brevedad de los vasallos prontos y fieles, para el premio, é igual de los que se revelaren, para la pena que le compete, remitiéndonos la jura hecha."

Pero como digo, esta decisión de alzarse con la corona de los incas no fue tomada desde el principio,

y no fue cosa fácil. Los indios de Túpac Amaru no tenían armas (les estaba prohibido a los indios adquirirlas). Los soldados del virreinato no eran nunca indios y, hasta a los mestizos, se les ponían dificultades para entrar en el ejército y se les exigía garantías para tener el derecho a ir armados.
Túpac Amaru comprendía estas dificultades y trataba de adquirir armas de los ingleses, que en guerra con España se suponía que tendrían una disposición cooperadora con Túpac Amaru. Pero los ingleses tenían también su problema en las colonias americanas del norte, y no estaban dispuestos a favorecer las corrientes liberadoras en parte alguna del continente. Al menos por el momento y por aquello de las barbas del vecino.
Así, pues, el héroe de quien los ya famosos *tupamaros* uruguayos tomaron su nombre, no se sublevó el 4 de noviembre de 1780, precisamente contra España, cuyas leyes de Indias eran comprensivas y humanitarias, sino más bien contra los criollos radicados en Sudamérica, quienes trataban de mantener un régimen feudal, que implantaron los conquistadores y que en España apenas si había tenido vigencia. Los municipios y los cabildos apenas si podían cohonestar la tendencia feudaloide.
No es que yo trate de defender la monarquía española de aquellos tiempos, aunque Carlos III fue un rey con la noble obsesión de las libertades po-

pulares y con mejor suerte pudo haber llevado a cabo la revolución democrática que Inglaterra había hecho tiempos atrás con Cromwell, pero la verdad histórica tiene en la América de habla hispana absurdos e incongruencias que vistos desde Europa parecen imposibles y que frecuentemente van contra toda lógica política. Éste es el caso.
José Gabriel Túpac Amaru quiso acabar con el feudalismo que implantaron los conquistadores (feudalismo de base teutónica y francesa), precisamente en nombre del rey Carlos III y haciendo uso público de sus doctrinas y de sus leyes. Más tarde cambió de idea por razones que eran para él de vida o muerte.
Las crónicas de la época y los documentos oficiales están llenos de testimonios. De tal manera Túpac Amaru había convencido a la mayoría de las gentes de su cacicazgo y de otros muchos de que actuaba en nombre del Rey liberal, que los curas de las parroquias lo recibían ya bajo palio y con honores reales. Algunos historiadores dicen que Túpac Amaru trató así de sembrar el desconcierto entre las autoridaes de la colonia y debilitar su unidad, lo que habría sido de una eficacia maquiavélica, pero hay muchos indicios de que el jefe rebelde actuaba de buena fe. Esos indicios se encuentran no sólo en Bolivia y Perú, sino también en documentos escritos por el Rey y sellados con su firma.

Un cura de su cacicazgo que no quería someterse (o bien *un doctrinero* como los llamaban los indios) escribió a Túpac Amaru una carta negándole derechos y atributos superiores a los de cacique de Tungasuca y el jefe inca le respondió en los siguientes términos, según Pedro de Ángelis en "Mártires y heroínas":

"Sr. D. Gregorio Mariano Sánchez: Mui Sr. Mío: Recibí la de Vd., é impuesto de su contenido, digo: Que ni el tiempo ni mis ocupaciones me permiten contestar á Vd. menudamente, como las provocativas expresiones de Vd. merecían; y haciéndolo sucintamente, impongo a Vd. que respecto de ser yo persona lega, como me denomina, mal pudiera precisar á ningún doctrinero que me reciba con capa de coro, cruz alta y palio: pues con estas ceremonias nada adelanto, ni las necesito. Puede Vd., como tan escrupuloso informarse de los demás del tránsito, quienes aun sin repugnancia alguna lo han hecho, de lo que no me podrá culpar nadie. Podía Vd. haber omitido su prevención, así de lo de arriba, como de los ganados, porque aunque soy un pobre rústico, no necesito de las luces de Vd. para desempeñar mis obligaciones; y así aplíqueselas Vd. para llenar mejor los deberes de su ministerio, no teniendo el trabajo por medio de los indios de recibirme con iguales circunstancias y términos que los demás: pero si quiere hacerlo, hará como ellos.

"Por las expresiones de Vd. llego a penetrar tiene mucho sentimiento de los ladrones de los corregidores, quienes sin temor de Dios inferían insoportables trabajos á los indios, con sus indebidos repartos, robándoles con sus manos largas, á cuya danza no dejan de concurrir algunos de los Sres. Doctrineros, los que serán extrañados de sus empleos como ladrones, y entonces conocerán mi poderío, y verán si tengo facultad para hacerlo.

"Queda Vd. respondido por ahora, y con Dios, á quien pido guarde su vida muchos años. — Cocotoy y noviembre 12 de 1780."

Pero otros muchos curas, e incluso algún obispo (que se vio en dificultades más tarde para disculparse o exculparse), acataron desde el principio al caudillo Inca.

Fue Túpac Amaru un hombre digno de la leyenda que dejó atrás y que está todavía en pie, hasta el extremo de que se hace de su nombre un mito de rebeldía e independencia útil aún en nuestros tiempos tan diferentes de los que vivió el gran peruano. De él dice Boleslao Lewin, el historiógrafo que ha penetrado más profundamente en el siglo XVIII sudamericano: "Desde el punto de vista personal, Túpac Amaru inspira, generalmente, simpatía a sus coetáneos y aun a sus enemigos; éste es un fenómeno digno de atención, por tratarse de un jefe rebelde de capas populares muy humildes. En la historia se conocen pocos casos de esta naturaleza. Y si hoy algunos caudillos rebeldes populares son exaltados, sucede esto por razones políticas y después de arduas luchas reivindicatorias. El caso de Túpac Amaru es distinto, por lo menos bajo un aspecto: ya en la época, la sublevación encabezada por él no hallaba, en el terreno ideológico, la resistencia que se podría esperar. Lo que es prueba de un grado muy avanzado de descomposición del régimen imperante, incapaz de una defensa vigorosa en el campo de las ideas. Por ello — como siempre en regímenes caducos — la represión fue tan cruel, tan despiadada. Vistas las cosas desde este ángulo no deja de ser muy sintomático que en lo que podríamos llamar tradición folklórica Túpac Amaru no figura, por lo general, como símbolo de bestialidad, hecho tan frecuente en el caso de otros caudillos rebeldes que lucharon por causas no menos nobles y justas y que, sin embargo, sirven, incluso, para horrorizar a los niños. Su nombre se convirtió en el símbolo por excelencia de rebeldía contra el régimen español y aun de rebeldía americana en general. Cuando el famoso oidor chuquisaqueño Juan José de Segovia, destacaba la lealtad de los criollos a la corona española, comparaba a Túpac Amaru con Cromwell, para los hispanos, y en 1780, símbolo cabal de rebeldía y herejía. Un par de lustros después, otro americano conservador,

Manuel del Campo y Rivas, parangonaba a Túpac Amaru con Robespierre... En otras ocasiones, cuando el español quería motejar en forma despectiva, a su juicio, el gaucho díscolo e insubordinable lo llamaba *tupamaro;* cuando Linier acusaba a Elío — intransigente gobernador de Montevideo — de obrar en contra de los intereses de la monarquía española, afirmaba que su nombre correría a la par del de *Tupamaro;* y pocos años después los patriotas de esta región eran llamados *tupamaros;* cuando Ambrosio Funes echaba denuestos sobre la cabeza de cierta persona, se expresaba acerca de ella: "Él sale ahora bien en España por una razón análoga por la cual saldrá bien en América Túpac Amaru"; cuando fray Servando Teresa de Mier justificaba la causa de la independencia mexicana invocaba el nombre de Túpac Amaru. También San Martín, como es sabido, cuando se dirigió a los indios solicitando su colaboración en la magna empresa liberadora invocó el nombre de Túpac Amaru y cuando Cornelio Saavedra — como Ignacio Núñez y Saturnino Gómez Peña — enumeró en su *Memoria* las tentativas precursoras de la emancipación americana, se refirió en primer término a Túpac Amaru".

Decía al principio que la confusión en torno a los *tupamaros* uruguayos, en cuanto a su doctrina política y social, recuerda la misma confusión (teniendo en cuenta la diferencia de períodos históricos) en torno a Túpac Amaru. Esa exactitud en la coincidencia de matices y circunstancias revela una vez lo genuino de la influencia del mito del rebelde inca. De esa confusión no se libró el mismo Alejandro von Humboldt, quien dice en su "Viaje a las regiones equinocciales del Nuevo Mundo" (Caracas, 1941):

"Túpac Amaru «Era hijo del cacique de Tungasuca, *(sic)* pueblo de la provincia de Titzta, ó más bien hijo de la muger del Cacique; porque parece cierto que el tal inca es mestizo, y que su verdadero padre era un fraile». En otra parte, Humboldt — dice Boleslao Lewin — evidentemente confundiendo los nombres de los caudillos indígenas, habla de un Andrés Condorcanqui (que no existió, sino Andrés Noguera o Mendagure, precisamente éste, según los cronistas, fue hijo de un fraile y de una hermana del Inca), bajo cuya influencia José Gabriel Túpac Amaru «mudó de proyectos. Un movimiento hacia la independencia se convirtió en una guerra cruel entre las castas»..."

Todo eso es absurdo. Parece que el gran Humboldt sólo acertó al definir y clasificar la flora. Túpac Amaru era indio por los cuatro costados, hablaba quechua y aymará, hablaba y escribía español (lo aprendió en el colegio de jesuitas del Cuzco hoy dedicado a Universidad) y también llegó a dominar el latín. Para la escala de valores de la época Túpac Amaru era un hombre culto. Él mismo debió sufrir los mismos estados de confusión que suscitó a su alrededor. Los que se pasan de listos dicen que aquella confusión la creaba el caudillo deliberadamente para atraerse a las distintas capas de población que no estaban de acuerdo entre sí ni mucho menos. Por un lado los españoles, casi siempre con autoridad real delegada, por otro los sacerdotes y obispos, luego los criollos, hijos de españoles nacidos en tierra americana, todavía los mestizos y los zambos además de los "cabras", hijos de negro e india, y finalmente los indios, entre los cuales había partidarios de la corona española, esclavos oprimidos y hombres libres que generalmente no hablaban sino quechua o aymará o guaraní (estos últimos en las riberas del Paraguay).

En todo caso, dentro del ambiente del imperio español había entonces la misma confusión y no es extraño. Carlos III, un rey liberal, tenía que tolerar la inquisición. Sus ministros debían congraciarse con los criollos que frecuentemente los odiaban. Así se da el caso de que Carlos III daba órdenes en relación con la "mita" y los "repartos" que no se cumplían nunca y que algunos virreyes se guardaban de publicar.

Yo creo que la decisión de Túpac Amaru de proclamarse rey inca fue en busca del apoyo de Inglaterra, a quien pidieron armas. Pero las consecuencias fueron nulas. No lograron un solo rifle ni una libra de pólvora.

La esperanza en la ayuda inglesa estaba bastante generalizada. Entre los papeles del doctor Alberto Tauro del Pino, catedrático de San Marcos, figuran estas quintillas que al parecer se fijaron en los templos de Arequipa durante la sublevación. Las dos primeras exaltan a Inglaterra y la tercera increpa a España. Dicen así:

Na-ves mil en su ensena-da
na-ción fuerte y atrevi-da
na-tural fiereza arma-da
na-cida para temi-da
na-da, na-da, na-da, na-da.

Na-vega siempre admira-da
na-ufraga para hallar vi-da
na-da donde nadie na-da
na-ce cuando está perdi-da
na-da, na-da, na-da, na-da.

Na-ción triste y afligi-da
na-ves de escuadra arruina-da
na-da ya serás temi-da
na-die te verá ensalza-da
na-da, na-da, na-da, na-da.

Realmente la conducta de los representantes de don Carlos III dejaba entonces mucho que desear. Don José Antonio de Areche, visitador general y especial del Rey, que fue el alma de la persecución contra Túpac Amaru y su juez implacable y que era considerado como recto y austero y unía (según algunos historiadores) al rigor del inquisidor la dureza del político, no sale muy bien parado de una anécdota que recoge don Ricardo Palma en sus *Tradiciones Peruanas*. Y Palma no es sospechoso de antiespañolismo. Fue siempre entusiasta de las cosas hispánicas. *Sed magis amica veritas.*

El corregidor de La Paz estaba en la cárcel por graves acusaciones. Una noche se presentó en el domicilio del visitador general del Rey Sr. Areche. Y aquí entra la referencia de Ricardo Palma:

"—¡Hola, hola, señor mío! ¿Cómo ha salido de la cárcel sin mi licencia? — preguntó Areche.

"—No hizo falta, señor visitador. He dado mi palabra, y sabré cumplirla, de regresar en breve a la prisión.

"—Supongo a lo que usted viene... a hablarme, sin duda, de su causa.

"—Precisamente, señor Visitador.

"—Pues tiempo perdido, amigo mío. Lo veo a usted en mal caballo, y con dolor de mi corazón tendré que ser severo; que el rey no me ha enviado para que ande con blanduras y contemplaciones.

En su causa hay documentos atroces, y testigos libres de tacha cuyas declaraciones bastan y sobran para enviar a la horca diez prójimos de su calibre. Yo soy muy recto, tratándose de administrar justicia no me caso con la madre que me parió.

"—Pues señor Visitador, contra todo lo que dice su señoría que hay de grave en mi proceso, poseo yo mil argumentos irrefutables; sí señor, mil argumentos. Y lo mejor es que seamos amigos y nos dejemos de pleitos que no sirven sino para traer desazones, criar mala sangre y hacer caldo gordo a los escribas y fariseos.

"—¿Y por qué, si tiene tanta confianza en que han de sacarlo airoso, no ha hecho uso de sus argumentos? Yo quisiera conocer uno para refutárselo.

"—Si el señor Visitador me ofrece no airarse y guardarme el secreto, direle en puridad cuáles son mis argumentos.

"—Hable usted claro y como Cristo nos enseña. Preséntеme uno solo de sus argumentos y guarde los novecientos noventa y nueve restantes, que ni tiempo hay sobrado ni ocasión es ésta para hacerme cargo de ellos.

"Entonces el corregidor metió mano en el bolsillo y entre el pulgar y el índice sacó una onza de oro.

"—¿Ve su señoría este argumento?

"—¡Eso es una pelucona, señor corregidor!

"—Pues mil argumentos de su especie tengo listos para que se corte el proceso. Y buenas noches, señor Visitador, que las horas vuelan y la palabra es palabra".

El corregidor quedó libre y su causa sobreseída.

Estas cosas se sabían en la corte española y, si la mayor parte de los consejeros de la corona las condenaban y las leyes de Indias habían prohibido los repartos y las mitas y cualquier otra forma de esclavitud, la verdad es que los criollos, nacidos en tierras peruanas, tenían ideas diferentes y más de acuerdo con sus propios intereses. El régimen feudal continuaba en el siglo XVIII y todavía se mantiene hoy, en algunas naciones latinoamericanas, contra toda lógica histórica.

Y el rey liberal Carlos III sufría crisis de perplejidad y se sentía culpable como se puede ver en sus reales órdenes — incumplidas — y en docenas de cartas que pueden consultarse en los archivos de Indias. La cosa no era una consecuencia de la famosa homilía del padre Las Casas. Mucho antes de él se habían hecho en la corte española intentos vanos de favorecer al indio e incorporarlo a la ciudadanía española con todos sus derechos. Ya el aventurero Lope de Aguirre decía en la primera mitad del siglo XVI: "De España vinieron leyes en favor de los indios que estaban bien pensadas pero se vio que no se podían aplicar".

No se podían aplicar porque los criollos y los mestizos ricos se obstinaban en mantener un régimen que había sido ya superado en Europa. Todavía ese régimen se mantiene en algunos lugares de Centroamérica y del Perú, por cierto con la aquiescencia de los indios que no han conocido otra cosa, ni pueden tal vez imaginarla. Ellos son los que pagan el pato, todavía.

Es curioso recordar estas palabras de Carlos III a su confesor fray Pedro de Parras, franciscano rector del monasterio de Córdoba en 1782, poco después de la ejecución de Túpac Amaru, de su esposa y de otros parientes y cómplices.

"Sedme fiel consejero, padre — dice el rey —, y dirigidme en una materia que aunque antes de ahora causó consternación en mi espíritu, después de ver la ejecución de una terrible sentencia en ese desgraciado Túpac Amaru me ha puesto en mayor zozobra. Temí hablaros de ella, y no quiero, ya que me determino, hacerlo en la confesión. Mis escrúpulos sobre el dominio que yo y mis antecesores tengamos en la América se han aumentado, pues hay vástagos de aquella generación Imperial, y cuando se cortan ó cercenan vuelven á retoñar; ¿qué es esto, Padre?, ¿por mí se matan sucesores de los Reyes del Perú? Se me había hecho creer que no los había, pero el séquito tan grande y las precauciones que se toman en la sentencia me aseguran del deseo de aquellos colonos de ver restituidos á sus soberanos al Trono. Me viene á la imajinación la conquista del Perú hecha á fuerza de sangre y de engaños, matando Reyes sin motivo y aun despreciando su amistad, los robos y asesinatos, en fin, todo lo que desde mi niñez me leyeron en el libro de Las Casas. ¡Qué os parece, Padre!, ¿con qué título seré yo Rey de las Indias? Ya me dijeron algo de eso en Italia. Aquel buen Padre de Nápoles me repetía siempre que el Smo. Padre Alejandro VI había hecho donación de las Indias á los Reyes de España y Portugal y que se predicase la Religión Santa de Jesucristo, única verdadera. No sé si yo me contentaba con esto, pero siempre me ocurría que el S. Padre no podía dar lo que no era suyo, y según leí en mi mocedad, eso mismo respondió al Padre, que fue a hablarle sobre ello, el Rey del Perú, que mataron y derribaron de sus andar sin motivo, ó porque despreció un breviario. Enfin, de eso no me habléis. Dadme un título legítimo para aquietar mi conciencia...

"Sí, esa conquista fue hecha con tantas atrocidades, esa predicación con tanto robo que no dejaron piedra por mover aquellos buenos conquistadores para pillar el oro, la plata y piedras, esa conquista con la horrenda inhumanidad de ahogar al Rey, habiendo dado un rescate de tantos millones de castellanos y ducados. ¿Con esa conquista me hace

Rey de Indias? ¡Ah!, Padre mío: dime la verdad; ¿la halláis título legítimo? ¿Podré yo ante el Tribunal de Dios aparecer como legítimo Rey de los Indios por haberlos subyugado mis tenientes y reducirlos á esclavitud siendo libres, sin haberles hecho mal, ni salir de sus tierras á invadir las de España? Estoy resuelto á declarar mis intenciones al Consejo. Quiero juntar Cortes. Quiero ser Rey pobre como lo fueron antes. No quiero condenarme por poseer lo que no es mío; ni creo que me harán tener un derecho los muchos años que han pasado después de la conquista, pues siempre han habido reclamaciones, y lo que no fue bien adquirido es malamente poseído."

Así escribía Carlos III, pero en esa grave materia los reyes proponían y los criollos o mestizos ricos decidían. Se veían éstos en la situación ideal de los que podían explotar a los indios, en términos feudales, y gozar al mismo tiempo de las delicias de la era capitalista ya iniciada en el lejano Renacimiento. De ahí que en el siglo XVII el *perulero* representara ya el tipo de nuevo rico todopoderoso mejor que el mejicano o el brasileiro. Ese régimen existía todavía hace dos años con los "gamonales" en el altiplano del Perú. Y existe aún, aunque las autoridades nuevas de la nación están tratando de suprimirlo y democratizar el sistema de explotación de la tierra. Lo curioso es que, en algunos territorios del vasto país peruano, los indios mastican su coca y parecen desinteresados de un problema que tanto atañe a su futuro bienestar.

Y la sombra de Túpac Amaru va y viene por tierras de los antiguos virreinatos del Perú y del Río de la Plata. Como decía al principio los *tupamaros* son igualmente difíciles de definir. ¿Van contra la propiedad privada? ¿O contra la democracia? ¿O contra los restos de feudalismo que tan escasos deben ser hoy en el Uruguay? Lo único seguro es que no tratan de reinstaurar el imperio de los remotos incas y que lo único que tienen en común con Túpac Amaru es su aventurerismo esforzado, su valor físico y la confusión de sus mirajes políticos.

R. J. S.

I

Atahualpa, el último emperador Inca, debía ser hombre muy listo ya que aprendió el juego del ajedrez, él solo, viendo jugar a sus guardianes y sin que nadie le explicara nada. Ricardo Palma cuenta el siguiente suceso cuya relación halló en papeles guardados en los archivos nacionales. Atahualpa fue arrestado por las tropas de Pizarro el 15 de noviembre de 1532.

Un grupo de capitanes encargado de su custodia en el palacio real entretenía el tiempo jugando al ajedrez en un tablero pintado sobre una mesa, con piezas toscamente labradas en barro y cocidas al horno. Atahualpa solía mirar las partidas y un día mientras Hernando de Soto y Riquelme jugaban, cuando el primero fue a mover un caballo el Inca le tocó ligeramente en el hombro y le dijo:

—No, capitán. La torre. Mejor la torre.

Hernando siguió su consejo y ganó la partida dando jaque mate poco después a Riquelme. Los dos estaban asombrados al ver que el emperador había aprendido todos los movimientos, trucos y ardides del juego sin que nadie se los explicara y atendiendo simplemente a lo que hacían los jugadores.

Algunos creen que el Inca no habría sido condenado a muerte si hubiera ignorado el juego del ajedrez, ya que su sentencia fue acordada por votación en un tribunal de veinticuatro jueces, uno de los cuales era Riquelme, que había perdido la partida por el consejo que el Inca dio a Hernando de Soto. El tribunal de los veinticuatro convocado por Pizarro impuso la pena capital por trece votos contra once. Riquelme fue uno de los que votaron en favor de la ejecución. De otra forma la votación habría dado por resultado un empate a doce, y en esos casos se acordaba la indulgencia.

Vale la pena citar los nombres de los que votaron en contra de la condena y recordar algunas de sus peculiaridades de carácter. Llamábase el primero Juan de Rada, hombre afable y caballeroso, de buena estatura, recia cabellera negra con una mecha blanca al lado derecho. Ese Rada fue más tarde el que acaudilló a los almagristas que mataron a Pizarro.

El segundo era Diego de Mora, recio de complexión, no muy alto y obstinado en hablar quechua y sobre todo en buscar en ese idioma palabras que tenían el mismo sentido que sus similares en idiomas europeos. Mora había viajado mucho y repetía, extrañado, que los quechuas decían *you* para decir *tú*, igual que los ingleses y tenían palabras latinas y españolas, también.

Blas de Atienza cojeaba un poco de la pierna izquierda y como suele suceder trataba de disimularlo, con la sola consecuencia de cojear más por el lado contrario.

Francisco de Chaves era gallego y aunque parecía viejo, era joven, no había cumplido aún los treinta.

Pedro de Mendoza, de linaje aristocrático, hablaba y se conducía como un patán y sin la gracia espontánea del hombre del pueblo. En cambio Hernando de Haro que era plebeyo y había pastoreado cerdos como Pizarro tenía una gran distinción natural y parecía el conde Irlos.

Francisco de Fuentes era, por encima de todo, gran jinete. Se decía que el día que se casó hizo el amor sin bajar del caballo.

Había otro Chaves, Diego, locamente enamorado de una india de sangre imperial, una *ñusta* como decían en el Cuzco. El emperador Atahualpa solía bromear con él sobre esa materia, amablemente. Lo mismo cuando hablaba de materias serias que cuando bromeaba, se advertía en Atahualpa su calidad de príncipe de una larga dinastía.

Con Francisco Moscoso sucedía algo pocas veces visto. Era el hombre más violento de palabra que se podía imaginar. Decía obscenidades e impertinencias a cada paso y sin embargo se conducía amablemente y nadie había podido reprocharle nunca una ofensa ni un desmán.

Era Alfonso Dávila un hombre de tendencias místicas, que podía cometer las violencias naturales de la guerra, pero encomendándose a Dios y creyendo firmemente que lo que estaba haciendo era en Su servicio.

En cuanto a Pedro de Ayala era hombre maduro, muy curtido en refriegas y batallas y terriblemente cínico en sus decires (incluso en materia religiosa, por lo que resultaba intolerable para Dávila) pero en el fondo era tierno y humanitario. Se diría que se castigaba a sí mismo con sus opiniones, hastiado o irritado con su propio humanitarismo.

Éstos eran los once que votaron en favor de la vida de Atahualpa.

El juicio contra el emperador fue llevado con apariencias legales. Había entre los conquistadores un tinterillo de juzgados, un tal Sancho de Cuéllar que conocía los procedimientos y estaba acostumbrado a la jerga procesal. Este escribano cargó la mano a su gusto, de manera que la sentencia de muerte llegara por sí misma como una consecuencia natural. Más tarde Titu Atauchi, hermano del Inca muerto, se apoderó del escribano en una escaramuza y le hizo dar garrote en el mismo palo en el que fue ejecutado Atahualpa. (Los indios conservaban el poste y lo llamaban *el palo maldito.*) A los otros prisioneros españoles los puso en libertad y a alguno de ellos que había votado contra la ejecución de

Atahualpa le regaló el príncipe hermosas esmeraldas. Cuando se marchaban, uno de los soldados españoles vio que faltaba Sancho de Cuéllar, el escribano parcial que tan funesto le fue al emperador. Al preguntar por él sonrió Titu Atauchi ligeramente y dijo:

—Ése se queda con nosotros. Tenemos una fiesta y va a ser el pato de la boda.

Lo condujeron a Cajamarca (donde había sido ejecutado el emperador) y allí pagó el escribano su habilidad procesal con su vida. El príncipe Titu Atauchi conocía los nombres de todos los miembros del siniestro tribunal y sabía quiénes votaron en pro y quiénes en contra. Murió Sancho de Cuéllar en el mismo garrote vil que el emperador, con un letrero castellano al pie que decía: "*A este bandido ha mandado matar Titu Atauchi por asesino del Inca*".

II

Extinguida más tarde la tribu de los Pizarro en trances memorables y sangrientos, comenzaron a sucederse los virreyes. Con menos pompa y halaraca pero con la misma tenacidad fueron las generaciones del Inca — ya vencidas — transcurriendo. Que la vida no se detiene sino que sigue paralela al tiempo en ciclos cerrados igual en el orden físico que en el moral: horas, días, años, siglos...
Y si los amores se extinguen con la plenitud del gozo o de la frustración, los odios se heredan y fructifican a la corta o a la larga. Antes se olvida el amor que el rencor.
He aquí la generación de los virreyes, hasta los tiempos de Túpac Amaru. El primero fue un guerrero: Blasco Núñez de Vela que a los ochenta años entraba en batalla contra Gonzalo Pizarro, jinete en su caballo y esgrimiendo lanza, espada y mangual como un Pepe.
Pedro de la Gasca, más escurridizo que una anguila, atrapó al victorioso Gonzalo Pizarro y a sus cabecillas y los fue ejecutando limpia, rápidamente y muy a satisfacción de don Carlos I *imperator*. (No fue virrey sino presidente de la Audiencia.)
Antonio de Mendoza (segundo virrey). Hombre de

habilidades políticas, virrey que fue antes de México, hombre de ingenio emprendedor, al que se deben muchas de las bellezas arquitectónicas de la capital del Perú. (Fue marqués de Cañete.)

El cuarto virrey fue el conde de Niebla, Diego López de Zúñiga.

Los siguientes hasta Agustín de Jáuregui, que hace el número treinta y tres y toma posesión en 1780 bajo el reinado de Carlos III, fueron: Francisco de Toledo, Martín Henríquez, Fernando Torres y Portugal, García Hurtado de Mendoza (segundo marqués de Cañete), Luis de Velasco, Gaspar de Zúñiga y Acevedo, Juan de Mendoza y Luna, Francisco de Borja y Aragón, príncipe de Esquilache; Diego Fernández de Córdoba, Luis Gerónimo de Cabrera y Bobadilla, Pedro de Toledo y Leyva, García Sarmiento de Sotomayor, Luis Henríquez de Guzmán, Diego de Benavides y de la Cueva, Pedro de Castro, Baltasar de la Cueva Henríquez, el arzobispo Liñán Cisneros, Melchor de Navarra y Rocafull, Melchor Portocarrero Lasso de la Vega, Manuel Oms de Senmenat, Diego Ladrón de Guevara, obispo de Quito; Carmine Nicolás Caracciolo, Diego Morcillo Rubio de Auñón, arzobispo de Lima; José de Armendáriz, José Antonio de Mendoza, José Manso de Velasco, Manuel Amat y Juniet, Manuel Guirior y Agustín de Jáuregui.

Los más, tenían títulos del reino que han llegado

en la heráldica hasta nuestros días. Como se puede advertir hay varios apellidos que se repiten, lo que da al virreinato más importante de América el carácter de una corte cerrada.

En cuanto a los incas, la genealogía es complicada. Antes de llegar a José Gabriel Túpac Amaru cuyo nombre de pila era José Gabriel Condorcanqui, hubo otro Túpac Amaru en el siglo XVI que se sublevó contra los españoles y fue ejecutado por orden del virrey Toledo en 1579.

Después de la ejecución de Atahualpa, la mayor parte de los príncipes incas fueron caciques de territorios importantes y colaboraron de mejor o peor gana con los españoles en el Cuzco y en Lima. Éstos eran Caranquis, Chayhuac (bautizado Antonio), Huayllar (bautizada Inés), hija de Manco Capac, con quien Pizarro tuvo una niña, Francisca. Después aparecen Sairi-Túpac (o Sairi-Tupaci) que había sido bautizado Cristóbal, hijo de Manco II, proclamado Inca a la muerte de su padre y que acabó por reconocer la autoridad del virrey Hurtado de Mendoza.

Por fin, como decía, en el tiempo de Carlos III se dio a conocer José Gabriel Túpac Amaru como heredero del imperio del Cuzco. Pero antes sucedieron algunas cosas importantes. O nimias, según se mire.

Volviendo al ajedrez, que fue fatal para algunos incas, cuenta el viejo patricio don Ricardo Palma (a una de cuyas nietas, Angélica Palma tuve el honor de conocer): "Después del injustificable sacrificio de Atahualpa se encaminó don Francisco Pizarro al Cuzco en 1534, y para propiciarse el afecto de los cuzqueños declaró que no venía a quitar a los caciques sus señoríos y propiedades ni a desconocer sus preeminencias, y que, castigado ya en Cajamarca con la muerte el usurpador asesino del legítimo Inca, Huáscar, se proponía entregar la insignia imperial al inca Manco, mancebo de dieciocho años, legítimo heredero de su hermano Huáscar. La coronación se efectuó con gran solemnidad trasladándose luego Pizarro al valle de Jauja de donde siguió al de Rimac o Pachacamac para hacer la fundación de la capital del futuro virreinato, es decir Lima.

"No tengo para qué historiar — dice Palma —, los sucesos y causas que motivaron la ruptura de relaciones entre el Inca y los españoles acaudillados por Juan Pizarro y a la muerte de éste por su hermano Hernando. Básteme apuntar que Manco se dio trazas para huir del Cuzco y establecer su gobierno en las altiplanicies de los Andes donde fue siempre imposible para los españoles vencerlo.

"En la contienda entre pizarristas y almagristas, Manco prestó a los últimos algunos servicios y consumada la ruina y victimación de Almagro el Mozo, doce o quince de los vencidos, entre los que se encontraban los capitanes Diego Méndez y Gómez Pérez, hallaron refugio al lado del Inca, que había fijado su corte en Vilcapampa.

"Méndez, Pérez y cuatro o cinco más de sus compañeros de infortunio se entretenían a menudo en el juego del ajedrez. El Inca se *aespañoló* (verbo en aquel siglo equivalente a *se españolizó*) fácilmente, cobrando gran afición y aún destreza como ajedrecista.

"Estaba escrito que como al inca Atahualpa la afición al ajedrez había de serle fatal al inca Manco.

"Una tarde hallábanse empeñados en una partida el inca Manco y Gómez Pérez teniendo por mirones a Diego Méndez y a tres caciques.

"Manco hizo una jugada de enroque no consentida por las prácticas del juego y Gómez le arguyó:

"—Es tarde para ese enroque, señor fullero.

"No sabemos si el Inca llegaría a darse cuenta de la acepción despectiva de la palabreja castellana; pero insistió en defender la que él creía correcta y válida jugada. Gómez volvió la cara hacia su paisano Diego Méndez y le dijo:

"—¡Mire, capitán, con la que me sale ahora este indio puto!

"Aquí cedo la palabra al cronista anónimo cuyo manuscrito, que alcanza hasta la época del virrey Toledo, figura en el tomo VIII de *Documentos inéditos del Archivo de Indias: «El Inca alzó entonces la mano y diole un bofetón al español. Éste metió mano a su daga y le dio dos puñaladas, de las que luego murió. Los indios acudieron a la venganza e hicieron pedazos a dicho matador y a cuantos españoles en aquella provincia de Vilcapampa estaban».*

"Varios cronistan dicen otras cosas, pero la tradición entre los cuzqueños es la que yo relato, apoyándome también en la autoridad del anónimo escritor del siglo XVI."

El ajedrez ha tenido siempre cierta vigencia en las tradiciones españolas, lo mismo a un lado que al otro del Atlántico. Recordemos aquellos versos del *Retablo de la libertad de Melisendra:*

> "*Jugando está a las tablas don Gaiferos*
> *que ya de Melisendra se ha olvidado...*"

Una de las cosas que nos ofenden en la conquista de América, es lo fácil que es matar o morir. Los conquistadores eran una especie de tozudos de la sangre, aunque más tozudos todavía de la tinta, a juzgar por la que se vertió si vemos los papeles del Archivo de Indias y los de las Audiencias y Cabildos.

III

En 1535 no había aún una sola campana en el Perú, y hartos de anunciar los oficios religiosos y los toques de oración y de queda con tambor y trompeta, decidieron fabricar la primera campana. El mismo Pizarro manejó los fuelles del horno donde se fundieron los metales, razón por la cual la campana fue llamada *la Marquesita.*

Pesaba mil trescientas libras y se dejó oír por vez primera en la Nochebuena de diciembre de aquel año de 1535. Resultó muy sonora, pero en 1544, andando el viejo virrey Blasco Núñez de Vela muy necesitado de armas para reducir a Gonzalo Pizarro, mandó fundirla y hacer con su metal falconetes. De poco le valió, porque en la empresa de acabar con el rebelde perdió la vida.

Por entonces había ya muchas campanas en Lima y en otras ciudades. Dominicos, mercedarios y franciscanos, habían fabricado campanas. Una de ellas pesaba más de veinte quintales y su voz se oía a doce y quince leguas si la brisa era favorable. Los españoles no creyeron poseer aquellos territorios hasta que oyeron loquear las campanas en días de viento como en Castilla o Extremadura.

Si la campana sugiere el tiempo absoluto, el reloj

señala las horas relativas, y el primero que hubo en Lima fue uno que en 1555 compró el cabildo y que costó dos mil doscientos pesos de oro, y esos dos enseres socialmente importantes fueron consolidando el nuevo orden. Los conquistadores se sentían, entre la campana y el reloj, dueños de señoríos como los de España, que eran los únicos que les parecían genuinos. Y fundaban mayorazgos.

Al mismo tiempo orientados por su afán de novedades iban explorando y descubriendo. Un indio descubrió para los españoles las famosas minas de Potosí.

Fácil fue desde entonces toda empresa que se hiciera con metales preciosos.

Lo malo fue que con las minas se estableció la *mita* (palabra quechua que quiere decir *el turno*) y con ella se hizo más necesaria una institución tan miserable como la esclavitud. Eran muchos los indios que aparecían marcados con fuego. La marca se llamaba la *carimba* y los que tenían esclavos podían disponer de ellos sin más limitaciones que las de la cristiana caridad, que no era mucha cuando se interponía la codicia de oro o de poder civil.

La influencia de las dos culturas (vencedores y vencidos) fue recíproca. Los españoles aprendieron pronto que los *anquis* eran los dioses tutelares que podían convertir a los hombres en rocas, barras de mineral e incluso rayos de luz. En la provincia de Chumbibilcas hay una *gruta de las maravillas* donde los *anquis* convirtieron a los capitanes valerosos del príncipe Huacari (que se negaron a rendir servidumbre) en preciosas estalagmitas de colores. Los indios creen oír al príncipe decir de vez en cuando (las corrientes de aire producen rumores misteriosos): "Antes la muerte que la esclavitud". Y tienen razón.

Supieron también los españoles curiosos que *achirana* es una voz que significa *lo que corre limpiamente hacia lo que es hermoso.* ¿Qué más hermoso que la libertad?

Pero la libertad sin uso adecuadamente voluntario no sirve para nada. Con la libertad se nos da el don de libre consentimiento. Es decir la posibilidad de ofrecer esa libertad nuestra a algo o a alguien. Por ejemplo, a los *anquis* misteriosos. Así, pues, la *achirana del Inca* era también la de sus vasallos.

Antes del descubrimiento de América era Túpac-Yupanqui (que quiere decir el hombre que poseía todas las virtudes) el emperador del *llantu* rojo, en el Cuzco. Los *curacas* (aristócratas) lo llevaban, a hombros, en sus andas. Pero Túpac-Yupanqui no merecía su nombre. La hermosa favorita del collar de *guairuros* fue sorprendida cuando escapaba con su secreto amante y Túpac-Yupanqui decretó su muerte. Eso sucedió en territorios de Huancayo, donde hay una cadena de cerros con rocas labradas por la lluvia y el vendaval. El lugar se llama en la lengua indígena Palla-huarcuna y entre las lomas llamadas Izcuchaca y Huaynanpuquio, hay una roca que tiene el perfil de una india con un collar y la corona de plumas sobre la cabeza. Los naturales del país en su ingenuo animismo la creen el genio maléfico de su comarca. Un fantasma de piedra es una novedad en los anales de la magia popular.

Otra superstición cultivaban los indios de Tintha, relacionada con el Túpac Amaru del futuro. Se trataba de algo que sucedía en la plaza del pueblo llamado Laycacota. Una viejita contaba todos los martes, al caer la tarde, la historia de Ollantay, un general traidor al Inca por el amor de una virgen del sol, con la que se escapó.

Cuando la anciana murió, seguía oyéndose su voz en el rincón de la placita, y todavía hay en la actualidad quienes creen oírla cuando el sol cae por el costado opuesto del famoso cerro de Laycacota. La anciana se decía descendiente de Ollantay.

En Tangasuca se representó la tragedia *Ollantay* en lengua original, cuando mandaba en todos los *ayllús* y cacicazgos de Tintha el Inca Túpac Amaru. Éste asistió a la representación con su corte en el traje de gala de los incas y el turbante de plumas. Una guardia de arcabuceros le guardaba la espalda porque le andaban a los alcances las tropas del virrey.

El comandante de aquellas tropas era un vasco que cuando oía hablar de la *achirana* del Inca rebelde (la corriente hermosa hacia la divina libertad) recordaba por cerebración mecánica la palabría *chirene* que en vasco quiere decir *loco.* Eso le parecían a él los secuaces de Túpac Amaru: locos de libertad.
Otro como ése, transportado por su *achirana* a la rebeldía y con el mismo nombre imperial, había sido ajusticiado como dije en 1579.
El virrey Jáuregui (vasco también, como el comandante de la armada que buscaba al Inca) no relacionaba las palabras *achirana* y *chirene,* pero sí los nombres de Pallas (Huarcuna) y Pallas (Atenea). Coincidencias raras que pasan en la historia.
Porque Jáuregui sabía griego, aunque en aquella tierra embrujada del Perú cuanto más sabía la gente, menos entendía. Es lo que suele pasarle en cualquier lugar y tiempo a los seres humanos. Menos a los indios, que actuaban movidos por su voluntad de fe, virgen, y que no trataban de entender las cosas sino de vivirlas silenciosa y profundamente.

IV

Si cada *ayllú* tenía un cacique indio puro a quien las leyes españolas daban especiales privilegios (no trabajar en las minas sino como capataces, recaudar impuestos para el rey y para sí mismos), con cuyas distinciones y favores querían los españoles atraérselos y hacer de ellos los agentes interesados del imperio, la verdad es que Túpac Amaru era en Tintha un cacique de caciques. Su familia, como ya dije, venía de linaje imperial. La hija del Túpac Amaru, del siglo XVI, ejecutado por rebeldía, era doña Juana Pilcohuaco y obtuvo como merced para sí y su esposo Diego Felipe Condorcanqui, el cacicazgo de tres pueblos importantes a unas veinticinco leguas al sur del Cuzco, en un valle sereno y plácido enmarcado con montañas en cuyos picos blanquean todavía las nieves perpetuas. Ese valle pertenecía al corregimiento de Tintha (lo escribo así y no Tinta como hacen algunos historiadores porque en la manera quechua de pronunciarlo se advierte una tendencia de la segunda T a la Z). Y también porque así se evita la anfibología.
El importante historiógrafo Boleslao Lewin dice de ese valle: "Por el valle de Tinta, que es una importantísima vía de comunicación e intercambio, ser-

pentea el río Vilcomayo, con pueblos y aldeas indígenas en sus orillas. El valle tenía 20.000 habitantes, casi todos ellos indios y entre los cuales se mantiene latente todavía hoy la tradición de su esplendoroso pasado histórico. Les hacían recordar vivamente este pasado el templo de Viracocha, la divinidad fundadora del Tahuantinsuyu, que se encontraba en el distrito de San Pedro de Cacha, y la familia de los caciques de Surimana, Tungasuca y Pampamarca, descendiente del inca Túpac Amaru. La grandiosidad del templo de Viracocha, con sus nueve puertas y las paredes de piedra labrada en forma inigualada hasta hoy día, contrastaba con la miseria de los edificios indígenas, del mismo modo que su situación en la época actual con la pretérita".

La capital de Tintha tiene el mismo nombre que la provincia, y en esta provincia se encontraba, como hemos dicho, el cacicazgo de los Túpac Amaru.

En Surima, que está a una altura de 4.000 metros sobre el nivel del mar, nació el 24 de marzo de 1740 José Gabriel Túpac Amaru descendiente por línea materna del Inca desafortunado, víctima del virrey Toledo.

Se podría decir como en el romance castellano, que en el día en que José Gabriel nació

grandes señales había.

La más elocuente, al parecer, fue la de un cóndor que en su vuelo majestuoso fue arrastrado por el huracán contra una cortina de rocas donde se estrelló. Herido de muerte y repando con su sangre la nieve de los oteros, fue a morir no lejos de la iglesia donde el príncipe inca iba a ser bautizado algunos días después.

Así, pues, José Gabriel Túpac Amaru fue hijo del cacique Miguel Condorcanqui y de la *ñusta* (princesa) doña Rosa Noguera. Desde niño usó el nombre de Túpac Amaru que le era dado por los otros caciques de la provincia y por los indios de bajo estado, con reverencia.

Quedó José Gabriel huérfano de padre en plena infancia y actuaron como tutores hasta su mayor edad sus tíos Marcos Condorcanqui y don José Noguera, quienes dieron al muchacho la mejor educación posible. Los curas de Pampamarca y de Yanacoa fueron los que enseñaron a José Gabriel las primeras letras y el catecismo. El primero era de Panamá y el segundo de Guayaquil y solían discutir sobre las cualidades de sus respectivas patrias siempre que se reunían.

Pronto fue José Gabriel enviado al colegio que había en el Cuzco para caciques. Era un colegio importante bajo la advocación de San Francisco de Borja y estaba a cargo de los jesuitas antes de su expulsión en 1767 durante el virreinato de Amat.

El rector de otro colegio del Cuzco, describe el de los jesuitas de un modo minucioso y colorista.
He aquí lo que dice: "El Colegio de San Francisco de Borja está fundado para los hijos de Indios nobles y Caciques; suele hallarse más de veinte y cinco de ellos. El trage es una capa corta verde con camiseta interior del mismo color, una banda roxa con un escudo de plata de las Reales Armas, y un sombrero negro; traen cortado el cabello hasta los hombros.
"La instrucción que en ellos reciben se limita a la Doctrina Christiana, leer y escribir y algo de latín. Se les da refectorio, papel, plumas y tinta. Estuvieron los Jesuitas encargados de su cuidado. Después [de la expulsión] se han visto Prebendados encomendados de su dirección. La casa es hermosa, con jardines, patios, corredores, bellos aposentos y una Capilla".
Cuando los jesuitas preguntaron a José Gabriel por qué no usaba el apellido paterno, el muchacho recordó que ese nombre aludía a un cóndor en vuelo y que el día que nació, el cóndor se había estrellado contra las rocas de la montaña.
Sabiendo que los indios eran supersticiosos los jesuitas no insistieron.
Un año después de ingresar en el Colegio, hablaba José Gabriel español con toda perfección, su idioma quechua con gracia y donosura y leía latín sin

dificultad. Sabía de memoria una de las catilinarias de Cicerón.

No consiguieron los frailes que el muchacho aprendiera a ayudar a misa. Cumplía con todos los preceptos, pero se negaba a actuar de acólito. Solía decir:

—No está permitido a los Túpac Amaru hacer trabajos de *pongo*.

Es decir, trabajos subalternos.

V

Al llegar a su mayor edad Túpac Amaru entró en posesión de su cacicazgo. Es decir, habiéndole sido discutido por los rábulas que obtenían beneficios de aquella situación provisional, no lo consiguió hasta cumplir los veintiséis años. Era entonces corregidor de Tintha don Pedro Muñoz de Arjona, un hombre que no dejó malos recuerdos en la provincia, lo que ya es decir según las costumbres de la época.

Antes, se había casado José Gabriel con una india hermosa, también de origen noble, cuyo nombre cristiano era Micaela Bastidas. La boda fue el 25 de mayo de 1760, poco después de cumplir el novio veinte años y la novia quince. Recordando el cóndor herido el día que nació Túpac Amaru, Micaela anduvo el día de la boda atenta a todo lo que sucedía a su alrededor, esperando hallar algún presagio y ligeramente temerosa de que éste pudiera ser contrario. Pero no sucedió nada, ni a favor ni en contra. Es decir, se rompió la veleta de la iglesia.

Hubo, además, un incidente en la boda. El corregidor asistió y no parecía simpatizar mucho con el cura. Después de beber algunos tragos de pisco y de chicha, el corregidor cantó, mirando de reojo al tonsurado:

A Dios se le habla de tú,
de tú a la Virgen María
y al obispo se le dice
su señoría ilustrísima.

El cura, que también había bebido lo suyo, cantó a su vez:

Muchas honduras son ésas,
mi señor corregidor...

Pero no acabó la copla porque vio en los ojos de Muñoz de Arjona al mismo demonio. En realidad los otros dos versos no eran realmente ofensivos, pero habrían resultado irritantes y en una boda había que evitar rozamientos y altercados. Finalmente un sacerdote estaba obligado a mostrar mansedumbre y dulzura. Y la novia pagaba en oro.
Túpac Amaru siempre había sido respetuoso con la iglesia y no había que darle pretextos para que aquel respeto se enfriara. La boda, pues, siguió. En varios lugares y sentados en el suelo por grupos tribales, se veían varias docenas de indios comiendo en silencio. De vez en cuando se oía a uno de ellos pedir:

—Páseme el *cojudito,* compadre.

Y el vecino le daba un extraño recipiente hecho con una calabaza seca y lleno de chicha, después de limpiar el gollete con la mano, ya que todos ponían en él sus labios. Ese acto, como otros muchos de la vida ordinaria de los indios, tenía un aire grave y ritual. Los indios son así, todavía.

—Pásale el *cojudito* a don José Gabriel.

Y el indio se levantaba y se acercaba al novio limpiando la embocadura con la manga. Luego volvía a su puesto con el *cojudito,* satisfecho de que Túpac Amaru se hubiera servido de él.

Después los novios se fueron al Cuzco donde teníán preparados alojamientos mientras la fiesta continuaba en el lugar donde se celebró la boda. Al oscurecer las parejas de indios jóvenes se perdían por los alrededores.

—¡Que te tumbo! — decía alguno sintiendo el alcohol todavía en la sangre.

—A mí no me tumbas — respondía la indita provocadora.

Y más de una virgen del altiplano perdió su *corona* (su doncellez), antes de regresar a su casa. Algunas consideraban un honor haber sido *descoronadas* en aquella memorable ocasión por un amigo del Inca. Al menos por un invitado de doña Micaela que parecía una verdadera *ñusta.*

Más tarde, al hacerse cargo Túpac Amaru del cacicazgo se propuso intervenir en la administración, corregir los abusos de los *repartos* y de las *mitas* y mejorar, en lo que fuera posible, la situación de los indios. En el Cuzco había leído el libro del *protector* de los indios padre Bartolomé de las Casas, que estaba permitido por el virrey Amat aunque algunos corregidores llamaban al autor el *fraile marrano*. Parece que realmente el padre las Casas era judío converso.

Cuando supo Túpac Amaru que Carlos III rey de España había ordenado repetidamente que se corrigieran los abusos que el padre las Casas denunció, sintió simpatía y gratitud por el lejano monarca y llegó a tener esperanzas y a confiar en tiempos mejores. No para sí mismo (él tenía los privilegios del cacicazgo y además los que voluntariamente le concedían los indios por su estirpe inca), sino para las multitudes de indígenas sometidos a servidumbre, especialmente a la *mita*.

Túpac Amaru se informaba de todo, especialmente de las relaciones que otros caciques enviaban al virrey, y trataba de enterarse de las reales órdenes que llegaban de Madrid, sobre todo cuando había en ellas alguna medida en favor de los indios. No pasó mucho tiempo sin que enviara al virrey su primer memorial en relación con la *mita*. Es decir con el régimen de trabajo forzoso. Especialmente cuando éste tenía lugar en las minas de metales preciosos como las de Potosí, que eran consideradas las más ricas del mundo.

Siempre llamó la atención de José Gabriel el hecho de que a aquellos documentos que se enviaban al virrey los llamaran *memoriales* (para hacer memoria), ya que las autoridades españolas tenían muy presentes los hechos que en aquellos papeles se denunciaban. Cuando escribió el primero de ellos en relación con la *mita,* su esposa lo leyó, admiró la sabiduría del Inca y se atrevió a aconsejarle:

—Al rey don Carlos habría que mandárselo y no al visorrey. En Madrid deberían leerlo y no en Lima.

Túpac Amaru le dio la razón y el documento fue enviado a Lima, pero dirigido a la augusta y soberana majestad de Carlos III rey de España, de Nápoles, de las Indias Occidentales, etcétera. Era un documento muy extenso y, en él, se hacía hincapié en la manera inhumana de obligar a los indios de los lugares más apartados del virreinato a acudir en largas marchas extenuantes a las minas de Potosí cuando les correspondía por sorteo prestar aquel servicio. Túpac Amaru recordaba las sabias provisiones de otro Carlos (Carlos V) en favor de los indios.

Doña Micaela Labastida estaba enamorada de su esposo desde los años de la niñez en que solían jugar juntos. Cuando José Gabriel se casó era un joven de agradable presencia. El coronel criollo y cuzqueño Pablo Astete dice del joven inca que era "un hombre de cinco pies y ocho pulgadas de alto; delgado de cuerpo, con una fisonomía buena de indio: nariz aguileña, ojos vivos y negros, más grandes de lo que por lo general los tienen los naturales. En sus maneras era un caballero, era cortesano; se conducía con dignidad con sus superiores, y con formalidad con los aborígenes. Hablaba con perfección la lengua española, y con gracia especial la quechua; vivía con lujo, y cuando viajaba siempre iba acompañado de muchos sirvientes del país, y algunas veces de un capellán. Cuando residía en el Cuzco, generalmente su traje consistía en una casaca, pantalones cortos de terciopelo negro, que estaba entonces de moda, medias de seda, hebillas de oro en las rodillas y en los zapatos, sombrero español de castor, que entonces valía veinticinco pesos, camisa bordada y chaleco de tizú de oro, de un valor de setenta a ochenta pesos. Usaba el pelo largo y enrizado. Era muy estimado por todas las clases de la sociedad, era generoso y se recuerda especialmente la magnificencia con que remuneró a un facultativo que lo acompañó hasta Tungasuca, desde Lima, de donde regresaba enfermo de cuerpo, y tal vez lastimado de espíritu, con las fatigas y desengaños que le ocasionaban los curiales de la Real Audiencia".

¿Qué curiales? ¿Qué fatigas? Desde su primer memorial no habrían de faltarle nunca. Pero para no limitar nuestra información a un solo testimonio he aquí otro, tal como aparece atribuido a *un cronista anónimo* (probablemente español) en la *Revista de Archivos y Bibliotecas* en Lima (1901). Dice así:

"Era Túpac Amaru hombre de mediana estatura; esto es, más pequeño que alto, reforzado, y algo carnudo, aunque con proporción muy regular, muy blanco para Indio, pero poco para español: tenía magestad en el semblante, y su severidad natural pocas veces se permitía el descanso de la risa. Parecía que aquella alma se hallaba de continuo retirada en su propio seno (si puedo hablar de esta suerte) y siempre ocupada en grandes asumptos. No era fácil su pecho, ni ambicioso de escudriñar los agenos: tenía talento, pero no siempre bien dirigido: era hombre franco y agradable con sus amigos, aunque tenía pocos: sufría impertinencias, pero no con exceso, y malograba las ocasiones de venganza. Vestía siempre de gala, y en su casa se tratava bellamente. Llevaba vestido de terciopelo, con media blanca de seda: sobre la casaca traía lo que en su idioma llaman *uncu,* de lana texido del País, pero bordado de oro, sobre el fondo que era morado. Allí estaban sus armas o las de sus antepasados. Traía también dos bandas texidas de seda, y cruzadas sobre los hombros, en forma de banda, y otra tercera amarrada a la cintura. Usaba sombrero de tres picos, bien armado, con sólo una pluma por un lado, y en la copa una cruz pequeña de paja, que llaman ellos *chilligua.* Llevaba dos soberbios caballos, en que regularmente hacía sus entradas a los pueblos, con aderezo rico de realzes, y con estas brillanteces, no deslumbrava poco los ojos flacos de los hombres de su comitiva, que procuraban imitar el traje, aunque no la calidad."

En fin, era lo que en la península se llamaba un señor. Un señor natural.

VI

Pero volviendo al memorial contra las *mitas*. Éstas, como hemos dicho, eran las regulaciones para el trabajo obligatorio de los indios, quienes debían dar un número determinado de días al año — quince en la mita del servicio doméstico, tres o cuatro meses en el pastoreo, diez meses en la mita minera — al servicio de los colonizadores, percibiendo por ello los salarios que establecía la Audiencia. Estas regulaciones se llevaban con tal rigor que ya en 1549 y en vista de los estragos que causaban en la población india dedicada al trabajo en las minas, el mismo emperador Carlos V se vio obligado a suspender la mita. Pero pronto volvió a entrar nuevamente en vigor. Y algunos años después más de medio millón de indios eran los que sufrían sus rigores.

En el primer memorial dice Túpac Amaru entre otras cosas: "El corregidor de nuestra provincia que ve y experimenta la disminución de la población india y la dificultad que cuesta hacer entender a los Caziques dicha Mita no dejará de informarlo siempre que se tenga por necesario: La distancia es un inconveniente gravísimo; más de doscientas leguas de jornada y otras tantas de buelta ocupan gravemente la consideración de lástima y hazen demostrable el inconveniente de la desolación de los pueblos como la experiencia lo califica: *Despídense, o para morir o para no bolver más a su patria, venden sus chozas y sus muebles con unos extremos dolorosos por la voluntad que tiene el Indio a su pueblo, a sus muebles y a sus animales. Cargan con sus mugeres y con sus hijos, y ya con sólo un Yndio Mitayo sale del Pueblo una familia entera que podía propagarlo, así entran en un camino de más de doscientas leguas de asperesas de ríos de cordillera y de Puna, que si a la ida lo pasan mal a la buelta lo pasan peor si ellos como regularmente sucede no cautelan el trabajo con quedarse y no volver.*

"Si en tiempo en que era indispensable la Mita por la falta de trabajadores se atendía más la conservación de los Yndios, es oy superior a la razón cuando las labores son menos, y es abundantísimo el número de trabajadores de que ha crecido el Asiento de Potosí, para que aún quando esta distancíssima Provincia estubiese tan indigente de Yndios se le rebelase de dicha Mita conforme al expreso literal contexto de dichas Reales Ordenanzas que contraydas al caso presente deven los Mineros trabajar sus minas con los muchos Yndios que se han reducido y situado en el cerro de Potosí que voluntariamente se alquilan, cesando así el inconveniente de la falta de operarios que hizo forzosa en los primeros tiempos la Mita; Bien conocen los Mineros esta razón, pero quieren los Mitayos porque los *tratan más que a esclavos, porque los hazen trabajar excesivamente al rigor del castigo, porque les pagan menos y porque al pretexto de los privilegios de Mineros y con aparentar perjuicios en la extracción de los metales conservan la Mita para abusar del trabajo de los Yndios, aunque éstos se mueran* y aunque las Provincias se aniquilen en daño y menoscabo de los Reales Haveres de S. M. en los innumerables tributarios que pierde; Tan poseydos están los propietarios Mineros de la prompta contribución de la Mita que teniendo obligación de pagar la ida y la buelta de los Mitayos que llaman leguage (gastos de transporte) en nada piensan cumplirla, tanto que por este Superior Gobierno en Decreto de 25 de agosto de 1768 se mandó a pedimento de los Yndios de la Provincia de Lampa entre otras cosas que el señor Governador de Potosí hiciese que los propietarios Mineros pagasen a los Mitayos el leguage. Esto no se consigue y los miserables Yndios emprehenden un dilatado camino sin este auxilio que les es devido de manera que aún el caso que estuviesen los Yndios en aquel aumento que antes estaban siempre sería de Justicia que se les pagase el leguage, y se les prestase el auxilio de la jornada.

"A V. E. pide y suplica que haviendo por presentado dichos poderes e instrumentos se sirva declarar: *Que los Indios de la expresada Provincia de Canas y Canches no están obligados a la Mita de Potosí* por la decadencia en que se hallan y demás justas causas que lleva el suplicante expuestas. Pide merced que con justicia espera alcanzar de la poderosa mano de V. E. — Etc."

El memorial fue a manos de don José de Areche, consejero de Indias enviado al Perú como superintendente y visitador general de la Real Hacienda y revestido de tales atribuciones que hacían casi nulas las del virrey. Dice Ricardo Palma: "La verdadera misión del enviado regio era la de exprimir la naranja hasta dejarla sin jugo. Areche elevó la contribución de indígenas a un millón de pesos de oro; creó la junta de diezmos; los estancos y alcabalas dieron pingües rendimientos; abrumó de impuestos y socaliñas a los comerciantes y mineros, y tanto ajustó la cuerda que en Huaraz, Lambayeque, Huánuco, Pasco, Huancavelica, Moquegua y otros lugares estallaron serios desórdenes, en los que hubo corregidores, alcabaleros y empleados reales ajusticiados por el pueblo. «La excitación era tan grande — dice Lorente — que en Arequipa los muchachos de una escuela dieron muerte a uno de sus camaradas que, en sus juegos, había hecho el papel de recaudador de impuestos, y en el llano de Santa Marta dos mil arequipeños osaron, aunque con mal éxito, presentar batalla a las milicias reales.» En el Cuzco se descubrió muy oportunamente una vasta conspiración encabezada por don Lorenzo Farfán y un indio cacique, los que, aprehendidos, terminaron su existencia en el cadalso".

La respuesta de Areche a Túpac Amaru fue lacónica y burocrática: "Al cacique que representa se le dirá que su escrito no trae la instrucción que era necesaria para hacer el recurso de la relevación de la Mita que pretende; y que así se retire a sus Pueblos por ahora, esperando allí la providencia, que, no obstante, dará desde su destino el Señor Superintendente de la Mita, a quien se remite por el Correo, como que será la más arreglada a la distancia de estos Indios, tocándoles dar gente, y a las demás razones con que desean libertarse de ir a trabajar a la Mina de Potosí".

Lo que le dicen a Túpac Amaru es que faltan a su memorial requisitos formales para ser tomado en cuenta. Es lo que suelen decir todavía hoy los burócratas en sus covachuelas, cuando tienen instrucciones especiales para desechar una petición.

Con aquella petición Túpac Amaru se hizo visible y las autoridades repararon en él. Su esposa, con el sentido de tolerante adaptación que suelen tener las mujeres, le decía:

—Otros caciques se acomodan con su suerte y sacan sus beneficios y provechos.

Pero ella misma había protestado contra los visitadores (inspectores) de los *obrages* (talleres donde se tejía de continuo y sin interrupción a razón de dos equipos de doce horas por día). En los obrages trabajaban todos los indígenas obligatoriamente, igual los hombres que las mujeres y los viejos que los niños. El virrey Toledo dispuso que los obreros que trabajaran en los obrages estuvieran exentos de trabajar en las minas, pero esa ordenanza no se cumplía. Entretanto los niños y los viejos adolecían y algunos morían al pie del telar. Según Antonio de Ulloa: "Para formar perfecto juicio de lo que son obrages es preciso considerarlos como una galera que nunca cesa de navegar, y continuamente rema en calma alexándosele tanto del puerto que no consigue nunca llegar a él, aunque su gente trabaja sin cesar con el fin de tener algún descanso en llegando a tierra. El gobierno de estos obrages, el trabajo que hacen en ellos los Indios, á quienes toca esta suerte verdaderamente desgraciada, y el riguroso castigo que experimentan aquellos infelices, excede á todo cuanto nos es posible referir".

Micaela Bastidas protestó más de una vez contra el abuso de los obrages. Su esposo ponía énfasis mayor en el de la mita minera. Y muchos indios para huir de la una y la otra se desgajaban de los primitivos *ayllús* y se diseminaban por el país dedicados al pastoreo y a la agricultura. Con eso dificultaban la formación de censos, y hurtaban el bulto a los agentes de los corregidores que por ser mestizos — cholos —, eran recelados y a veces aborrecidos de los indios puros.

Los del cacicazgo de Túpac Amaru siguieron siempre, sin embargo, en sus *ayllús* o clanes de consanguinidad, fieles al caudillo Inca.

Entonces los españoles inventaron las *reducciones.* Obligaron a los indios extrañados a recogerse en *ayllús* artificiales con amenazas severas si los abandonaban. Con eso sus tierras y ganados quedaban prácticamente desatendidos, y se convertían en propiedad de los españoles amparados por leyes especiales llamadas de *peonías* o de *caballerías.*

Un autor ecuatoriano, Óscar Efrén, caracteriza las *reducciones* de la siguiente manera:

"La reducción consistía en el agrupamiento de familias indígenas — de ochenta para arriba —, con pretextos también de cristianización. Al frente de esas reducciones actuaba un *doctrinero,* o sea, generalmente, un clérigo.

"El doctrinero, en vez de limitarse al desempeño de sus funciones, asumió las de mercader, de explotador y propietario, llenándoles de deudas a los indios (pues obligábalos a que le compren sus artículos, incomprensibles e inútiles muchos de ellos, desde estampitas de santos, barajas, polvos azules y hasta anteojos), y apropiándose de sus mujeres, «con gran ofensa de Dios», según decían los obispos entonces al protestar contra esos escándalos."

En octubre de 1776 Túpac Amaru, cuyos repetidos memoriales eran desestimados uno tras otro, presentó al escribano del Cuzco don José Palacios, según recuerda B. Lewin, un poder de todos los caciques de su provincia que lo nombraban su representante para que por ellos y por sí mismo "prosiga en Lima la causa que tienen pendiente en el real y superior Gobierno de estos Reinos sobre que se liberen los naturales de sus *ayllús* de la pensión de la mita que se despacha al real Asiento de la Villa Imperial de Potosí".

Al hablar de esto con su esposa ella decía a José Gabriel:

—¿Y los obrages?

Túpac Amaru le respondía que no había que pedirlo todo junto porque entonces no conseguirían nada, sino una mejora cada vez. Y añadía volviendo contra ella, en broma, un refrán que Micaela solía decir:

—Una cosa es quebrar huevos y otra hacer tortillas.

Micaela tenía dichos como ése, tomados de los españoles y repetidos en quechua. Otro que solía usar cuando hablaba del desdén de los corregidores contra los indios de los obrages era:

—Que tengan cuidado, porque cada mosca tiene su zizo y su sombra.

La verdad era que con todos aquellos memoriales y poderes (sin obtener nunca nada) Túpac Amaru se hacía reparar.

También hay que señalar que con las habilidades y triquiñuelas de los oficiales del virreinato, José Gabriel estaba añadiendo a sus naturales dotes políticas, experiencias curiosas y sutiles.

Pronto llegó a la conclusión de que el virrey, los visitadores, los corregidores y los doctrineros se enriquecían a costa de la real hacienda, y de que si alguien protestaba, el rey podría ponerse de su lado contra todos ellos (menos contra la iglesia).

Túpac Amaru iba y venía por la jurisdicción de Tintha, asistía a bodas y bautizos y chupaba el *cojudito* siempre que un indio se lo ofrecía.

Tuvo un hijo de su esposa, a quien bautizaron con el nombre de Hipólito Túpac Amaru. La fiesta sacramental fue memorable por la gente que acudió de los *ayllús* próximos y aún de los lejanos.

Entre los indios había varios *haravicus* que improvisaron poemas alusivos o los llevaron preparados para el caso.

Eran verdaderos poetas, y el cura apuntó algunos

de sus dichos en quechua y en aymará, y luego los tradujo:

"*Los monaguillos (pongos) de ultramar (había uno español) volviendo, se apresuraban para el bautizo.*

"*Y en el término incaico presidiendo, un lucero advenedizo (venus, en el atardecer, que fue cuando se celebró la ceremonia) viene a ser el padrino aunque nadie lo llame.*

"*Nidos de cóndor de los altos Andes se van cubriendo silenciosamente por el sol que se acuesta friolento y el ave grande de las anchas alas las abre en cruz cuando tu niño Hipólito se mea en sus pañales sin saberlo. El cura tachó* se mea *y puso* se orina. *Así y todo le parecía un poco inadecuado, aquello.*"

VII

Los años pasaban, no rápidamente, porque el dolor parece entumecer las horas y retardar el calendario.

Pero Hipólito crecía jugando con otros niños bajo la vigilancia tutelar de su madre. José Gabriel y Micaela se sentían gratificados por la naturaleza, por Dios y daban gracias al Sol, a San José y a Jesús y a la Virgen María. Creía Micaela que, como todas las sagradas imágenes llevaban una aureola dorada en torno a la cabeza, se las podía identificar con el sol, al que los incas, sus hijos, adoraban.

Y el Inca no percibía diferencia ni dificultad. Entre sus mejores amigos figuraban varios sacerdotes y uno o dos prelados.

Una noche llegó al cacicazgo de José Gabriel la temida notificación. Un número de indios no inferior a 1.400, debía ponerse en camino de Potosí en un plazo no mayor de veintiocho días. Túpac Amaru, a quien iba dirigida aquella comunicación, tuvo que firmar el recibo y darse por enterado.

Lo primero que vino a su mente, fue la figura noble del gobernador de Potosí don Ventura Santelices y Venero, quien había leído una copia del recurso enviado por José Gabriel al virrey y declarado enfáticamente estar de acuerdo con todo lo que decía. Con eso, y otras declaraciones en favor de los indios, Santelices se había creado muchos enemigos. He aquí el pasquín que escribió el gobernador de Tucumán, y que apareció, pegado, en las puertas de las iglesias y de otros lugares públicos:

Venero es de oro, más en BRUTO
Al agua y jabón no da tributo
Vistiendo peor que lego franciscano
Riendo sus zapatos de lo humano
Capa y calzón de mantecosas huellas,
Y las calzas con puntos como estrellas.
Mas, de callar hagamos sacrificio,
Que fuera de avisados gran locura
Ser cojidos por mano de VENTURA
para servir de hogaza a Santo Oficio.

Pero en las alturas escuchaban a Santelices. En 1761 dimitió su puesto en Potosí, y cuando sus enemigos se sentían más gustosamente halagados resultó que (en 1762), fue nombrado miembro del consejo de Indias. Fue a España en el primer barco con pliegos de cargos contra las autoridades que desoyendo al rey explotaban a los indios ignominiosamente. Algunas personas eclesiásticas y seglares del Perú, que compartían sus puntos de vista, insistían a través de Santelices en combatir las mitas y otras miserias.

Cuando más próspera parecía la causa de los indios, Santelices murió repentinamente y como dice uno de sus historiadores, en forma harto sospechosa. Sin embargo el Rey dictó una orden, cuyo contenido llegó no sólo a Lima sino también a conocimiento de Túpac Amaru, en la que se daba estado oficial a "los agravios y vejaciones que padecían los indios de los corregidores de los partidos, curas doctrineros, virrey, Audiencia de Lima, y otros ministros de aquel reino, por lo desatendidas que eran de unos y otros sus representaciones y *ningún cumplimiento a mis reales órdenes expedidas para el alivio de los dichos indios* extendiéndose las quejas de éstos, no sólo a los repartimientos que hacían los corregidores y violencias con que les quitaban sus haciendas, sino también, a la que se practicaba en las mitas, contraviniendo a lo dispuesto por mis reales cédulas y ordenanzas que tratan de este asunto".

José Gabriel, hombre poco hecho a doblecer y con la rectitud moral de los jefes de las comunidades primitivas, entendió las palabras del Rey al pie de la letra y dispuso que no saliera de Tintha un solo indio para Potosí, mientras él hacía en Lima las diligencias necesarias para obtener la revocación de la orden.

A todo esto, los indios habían comenzado a prepararse para el largo camino de más de doscientas leguas (mil kilómetros). Como cada uno de los 1.400 indios iba a ser acompañado por los tres o cuatro familiares más próximos, ya que consideraban aquella separación del mitayo como definitiva y mortal y no querían dejarle morir desamparado y solo, la caravana sería de siete mil personas más o menos, de las cuales esperaban llegar a Potosí menos de la mitad y perecer las otras después de algunos meses de trabajos forzados. Era al menos lo que solía suceder.

En las calles de la aldea todo era desolación y dolor. El silencio habitual de los indios hechos a la resignación, era roto aquí y allá por lamentaciones y gritos que se encendían como antorchas. José Gabriel salía a la plaza:

—¡Que nadie deje la aldea! — gritaba en quechua.

Algún indio viejo le replicaba medio en español:

—Vendrán los *cachimbos,* taita.

Así llamaban a los corchetes del virrey y Túpac Amaru insistía:

—¡Que nadie se mueva! Digan que yo lo mandé. Yo sé que ésa es la voluntad del Rey de España.

Además había que ser *cunda,* es decir, avisado y hábil y dar frente a las situaciones más inesperadas. Pero algunos indios, sin dejar de atender las órdenes de José Gabriel, seguían con sus preparativos. El viaje duraría al menos cincuenta días por lugares inhóspitos, sin agua ni comida, con las madres lactantes y los viejos enfermos.

Sabiendo Túpac Amaru que algunos sacerdotes estaban de su lado, salió aquella noche al trote largo de su caballo para visitar al padre Carlos Rodríguez y tratar de influir, por su mediación, en los obispos de Cuzco y de la Paz que eran amigos del inca y que compartían sus sentimientos contra la mita, los repartimientos y los obrages.

Antes de salir ocurrió un incidente desdichado. En la calle había grupos de indios y en uno de ellos alguien alzó la voz al ver a Túpac Amaru y dijo:

—Ahí está el *curaca.* Con sus veintitrés recuas de mulas de buena andadura, podría llevarnos en menos de una semana a Potosí.

José Gabriel bajó del caballo y dirigiéndose al que había hablado, lo cogió por la cruz del poncho y lo sacudió:

—¿Qué has dicho?

De aquí y de allá salieron algunas voces:

—Déjelo, no más. Es un cholo que anda con los perros cachimbos de Areche.

Túpac Amaru lo soltó, le cruzó la cara con el chicote (los cholos traicionaban a veces al indio y al godo) y volvió a montar a caballo. No tardó en llegar a la abadía donde, por cierto, se celebraba el día del santo patrón del cura, que era el mismo de S. M. el Rey. Iba resentido por el incidente con el cholo.

Lo recibió el padre Rodríguez con alborozada sorpresa:

—¿Cómo viene solo? ¿Dónde está mi querida doña Micaela? ¿Y el niño Hipólito?

Había varios invitados que se levantaron al entrar José Gabriel. Éste miró a su alrededor, reconoció los rostros, se alegró de no hallar entre ellos al nuevo corregidor de Tintha don Antonio de Arriaga (que le era contrario), y dijo al cura:

—He venido a Tungasuca para negocios urgentes y no para el disanto que ni siquiera sabía que lo era.

Lo llevó aparte y le dijo lo que sucedía. El padre Rodríguez escuchaba atentamente. Durante la comida había bebido un poco y tenía la voz áspera y los párpados rojizos.

—Hace usted bien, José Gabriel. Los dos obispos de la provincia del Cuzco, don Agustín Gorrichátegui y don Juan Moscoso y Peralta, lo mismo que el de La Paz, don Francisco Gregorio de Campos, son contrarios a la mita. Usted los conoce.

—¿Qué podemos hacer?

—Esta misma noche irán tres propios con el mensaje. Lo malo es que el nuevo corregidor es un chapetón enemigo nuestro.

—Ya veremos cuando el caso llegue — dijo Túpac Amaru golpeándose la pierna con el rebenque.
Pero el cura salió al patio de la abadía, dio órdenes a algunos espoliques y volvió al comedor. Los comensales cedieron el lugar de honor — a la derecha del cura — a Túpac Amaru, y se alzaron vasos brindando por el padre Rodríguez y por José Gabriel. Éste se levantó y dijo gravemente:
—A la salud de S. M. el Rey que Dios guarde y de don Carlos Rodríguez, padre de los indios de Tungasuca.
Todos bebieron. Eran unas veinte personas, la mayor parte cholos con puestos en la administración y algunos indios notables. El cura recordó el énfasis con que Túpac Amaru se negaba a la prestación miteña en servicio de S. M. el Rey, y al oírle brindar por don Carlos III, pensó si aquella devoción de José Gabriel por el monarca hispano sería inocencia o habilidad. En el brindis, el Inca, había insistido también en el *mayor acatamiento y lealtad al Rey* cuyos representantes, en el virreinato del Perú, lo traicionaban.
Esta última palabra le pareció al padre Rodríguez un poco fuerte, pero como el Inca no citaba nombre alguno, la cosa era menos grave. Los traidores no eran señalados con el dedo.
Durante la comida tenía Túpac Amaru la imaginación ocupada por las figuras de los tres obispos.

Moscoso era hombre *curcuncho* como llamaban los indios a los seres achaparrados y fuertes, pequeños y anchos. Su cara parecía la de una mujer un poco zaina. Gorrichítegui era en cambio una especie de puco-puco (cara de ave y gestos inesperados). El tercer obispo, el de La Paz, era un poco *guaragua,* es decir, imprevisible y misterioso.

Pero los tres compartían sus ideas sobre la mita. En eso estaban los cuatro de acuerdo con el Rey de España. Esto, no sabía el padre Rodríguez cómo entenderlo.

Pero la fiesta del santo patrón del cura de Tungasuca iba a tener resonancia en los anales del Perú. Sus consecuencias fueron superiores a toda previsión, como suelen decir en su estilo pomposo los cronistas oficiales.

El nombre del cura tiene en el santoral varios patrones y el suyo era San Carlos Borromeo cuya fiesta cae en el cuatro de noviembre. Aquél era pues el día de la fiesta en la abadía.

No llevaría más de una hora Túpac Amaru en aquella hospitalaria mansión, cuando se sintió el galope de un caballo que se acercaba. Se detuvo casi en seco al pie del balcón volado. Hubo comentarios.

—Diestro jinete debe ser.

El vicario, que estaba de humor festivo y un poco chispo, contó que un campesino de su pueblo habiendo montado un caballo bravo fue derribado, y al levantarse del suelo donde había caído como un sapo y ver que los otros campesinos se reían a carcajadas, dijo:

—No hay por qué reírse, porque ya me iba a bajar.

Lo que sucedió después en la abadía fue de veras memorable.

El corregidor en persona don Antonio de Arriaga, hombre pugnaz e impertinente, enemigo del obispo Moscoso, excomulgado por el provisor, maldiciente y buscapleitos, apareció en la puerta de la sala. Entraba pisando fuerte y con las espuelas puestas. Miró alrededor y dijo en voz amenazadora:

—Soy el corregidor don Antonio de Arriaga.

Extrañó al padre Rodríguez que no se hubiera dado a sí mismo el tratamiento de señoría ilustrísima que le correspondía por su cargo. Aquel cura nunca se sentía ofendido por las ínfulas y altiveces de los demás, especialmente si tenían autoridad civil o marcial. El canónigo provisor de la Catedral del Cuzco había excomulgado a Arriaga por ofensas graves contra la iglesia, pero el padre Rodríguez siempre dispuesto a comprender se puso de pie, respetuosamente, y lo mismo hicieron todos los demás.

—Le ruego — dijo el cura — que tome asiento en mi humilde mesa.

Y le indicaba una silla vacía.

—¿Sabe usted para qué vengo?

—Cualquiera que sea la causa que lo trae — respondió el cura un poco extrañado — ya sabe vueseñoría que es bien recibido en esta su casa.

—Huélgome de que en la puerta de su iglesia no esté clavado el pasquín de excomunión que contra mí reparte ese viejo loco.

—Dios es testigo de que no sé a qué pasquín se refiere su señoría ilustrísima.

—El papel de excomunión del provisor del Cuzco.

Era la primera noticia que tenía el cura o por lo menos era eso lo que dijo volviendo a señalarle el asiento vacío. El corregidor se sentó, pero volvió a levantarse como si se hubiera pinchado en el trasero.

—¡Éste no es mi lugar!

—Elija vueseñoría.

Dio la vuelta a la mesa el corregidor y al llegar a donde estaba Túpac Amaru, lo apartó con violencia y se sentó en su lugar. El Inca fue a sentarse, resignado y sombrío en un extremo, precisamente en la silla que el cura había ofrecido al corregidor. Éste seguía hablando:

—Se equivocan los que creen que yo voy a tolerar en mi corregimiento que nadie me tire de las barbas, y menos, un canónigo borracho y amancebado. Y voto a tal, que si hubiera hallado el pasquín en el atrio de la iglesia, no habría reparado en sotana ni tonsura y se habría acordado de mí vuesa merced, hasta el último día de su vida.

—Sigo sin comprender a qué vienen las airadas palabras de su señoría, y le ruego que me perdone si en alguna cosa le he ofendido sin querer.

Con la humildad del cura se crecía el corregidor, que era un gran botarate:

—La primera ofensa consiste en tener sentado en lugar de honor y a su derecha a un puerco indio que anda revolviendo a la gente contra la mita, los obrages y los repartos. ¿O es que no se ha enterado usted?

Túpac Amaru se levantó, hizo una inclinación de cortesía para el cura y salió, despacio y grave. Tres o cuatro indios notables que estaban sentados a la mesa se levantaron y salieron con él. Poco después se oyeron piafar y arrancar algunos caballos como si participaran del rencor de sus dueños.

El corregidor no había terminado:

—Bueno estoy yo para bromas de indios, de cholos, y aun de criollos. ¡Por el ánima de mi padre que he de hacer picadillo de todos ellos si se me sube la mostaza a las narices!

Se detuvo para beber un trago, resolló fuertemente, pidió que le llenaran otra vez el vaso y como la sirvienta tardaba golpeó con el vaso vacío la mesa y llamó:

—¡Eh, tú, puta del diablo! ¿No sabes quién lo ordena?
Ella corrió a obedecerle sonriendo, a pesar de todo, y diciendo entre dientes como por gracia:
—Se me va el santo al cielo cuando oigo hablar asina.
—¿Cómo asina?
—Golpeado. Como hablan sus señorías los señores godos.
Hubo un silencio y convencido Arriaga de que ella hablaba sin malicia, declaró después de mirar alrededor:
—¡Godo y a mucha honra!
Todos los demás callaban.

VIII

Túpac Amaru envió a sus amigos en direcciones diferentes y con órdenes escritas para los jefes de los *ayllús* más importantes de las tres poblaciones de su señorío. Él se quedó a media legua de Tungasuca, en el camino de Tintha y en una casa donde vivía un viejo indio con su mujer.

Aquella pareja no hablaba quechua sino chanchaisuyo, un dialecto que Túpac Amaru conocía bien. El viejo recibió amorosamente al Inca y, haciéndole pasar al lado del fuego, pidió un lebrillo a su mujer lleno de *chicha de jora* y regó con ella la habitación. Era un tributo al Inca y una apelación a los espíritus protectores.

Entretanto José Gabriel recordaba lo ocurrido en casa del cura Rodríguez y se decía: "Arriaga va sin escolta y no saldrá de la abadía hasta que amanezca". Estaba sentado frente al fuego y miraba fijamente las llamas.

—Necesito cuatro hombres que sean fuertes y estén bien armados.

—¿Cuándo?

—Una hora antes de salir el sol.

—Tú los tendrás y mucho siento no poder ser yo uno de ellos.

Hubo otro largo silencio y oían los dos el fragor de las llamas. Túpac Amaru habló de nuevo:

—¿No me preguntas para qué?

—No. Lo que tú hagas estará bien, curaca.

Poco después el viejo salió. Túpac Amaru se acostó en el suelo sobre una manta cerca del fuego y se quedó dormido.

Poco antes del amanecer estaban los cuatro hombres allí. No eran de Tungasuca sino de un *ayllú* de pastores que tenían llamas adiestradas para la carga y vicuñas de preciado pelo. Venían bien armados de dagas y uno de ellos llevaba una espada. Aunque estaba prohibido a los indios tener armas de fuego, dos de ellos llevaban pistoletes al cinto, bien a la vista.

No despertaron al Inca, pero José Gabriel que tenía el sueño ligero se incorporó al oírlos llegar. Preguntó en quechua quiénes eran y los cuatro declararon ser parientes entre sí y estar dispuestos a todo. Sabían ya quién era José Gabriel y parecían sentirse halagados por su confianza.

—Se trata — dijo José Gabriel — de salirle al paso al corregidor Arriaga.

Se quedaron los cuatro meditando.

—¿Lleva escolta? — preguntó uno.

Túpac Amaru negó con la cabeza y precisó:

—Al menos ayer no la llevaba. Y desde lejos se podrá ver si la lleva hoy. En ese caso hay que dejarlo pasar porque los de la escolta llevan mejores armas. Hay otra dificultad. Monta un buen caballo.

Uno de los indios sonrió y otro dijo:

—Éste trae cuerdas y le calza un peal al más corredor.

Un peal era un lazo en una pata a la altura del corazón. El caballo caería y con él caería también el jinete.

Todos de acuerdo salieron al camino. Se trataba de apresar al corregidor.

Vieron acercarse a Arriaga a media rienda y no hubo necesidad de enlazar al caballo porque los cinco le salieron al paso en un lugar donde no podía salir del camino sin despeñarse.

—Dese preso vuesa merced — le dijo Túpac Amaru.

Lo desarmaron antes de que pudiera responder y le pusieron grillos. Luego lo condujeron otra vez a Tungasuca. Sin detenerse allí, siguió Túpac Amaru con el preso y los indios de la escolta hasta Surimana, y pocos días después (habiendo recibido respuestas a los pliegos que envió), regresó con el preso a Tungasuca e hizo levantar una horca en la plaza frente a la iglesia. Al pie de la horca puso un letrero que decía: "Ésta es la justicia que don José Gabriel I, por la gracia de Dios, Inca, rey del Perú, Santa Fe, Quito, Chile, Buenos Aires y continente de los mares del Sur, duque y señor de los Amazonas y del gran Paititi, manda hacer en la persona de Antonio Arriaga por tirano, alevoso, enemigo de Dios y sus ministros, corruptor y falsario".

Sacaron al reo. El verdugo, que era un negro que había sido esclavo del corregidor, le arrancó el uniforme, le vistió una mortaja o sambenito y le echó la soga al cuello. Al levantar el cuerpo la cuerda se rompió y, Arriaga, echó a correr en dirección al templo gritando:

—Salvo soy. A la iglesia me acojo. ¡La iglesia me vale!

Iba a entrar en ella cuando lo alcanzó el Inca José Gabriel y lo entregó de nuevo al verdugo diciendo:

—No le vale la iglesia a tan gran bellaco como vos. No le vale la iglesia a un excomulgado por la iglesia.

El verdugo hizo su obligación rápidamente.

Algunos indios acudieron al siniestro espectáculo y, los que sabían leer, traducían el letrero a los otros. Entretanto la puerta, el balcón y las ventanas de la casa parroquial estaban cerradas.

El padre Rodríguez había salido el día anterior, 9 de noviembre, para el Cuzco a visitar al obispo Moscoso. Túpac Amaru se alegró porque su ausencia le eximía de responsabilidades si llegaba el caso de rendir cuentas.

IX

En varias ocasiones los obispos del Cuzco y de La Paz habían mostrado inclinarse en favor de los indios cuando, Túpac Amaru, les hablaba personalmente de sus desdichas o les enviaba copias de sus memoriales. Después de la ejecución de Arriaga, el caudillo inca les envió la noticia, diciendo que aquella drástica medida había sido tomada en cumplimiento de las órdenes de protección a los indios dadas reiteradamente por S. M. el Rey, y nunca cumplidas por sus representantes y agentes.
Todos los amigos y los parientes próximos del Inca se movilizaron. Sus idas y venidas por los caminos a lo largo de la ruta de Lima-Buenos Aires no llamaban la atención porque, Túpac Amaru, además de percibir el impuesto de vasallaje de los indios de su cacicazgo (que ellos pagaban diligentemente y sin ser requeridos), tenía veintitrés recuas de mulos de viaje y transporte de mercancías, por lo cual, los enemigos del Inca solían llamarle desdeñosamente "el arriero".
En materia de conspiración, hay que ser muy sutil y agudo en los planes estratégicos y lo más simple posible en los recursos tácticos. Los dos más importantes entre estos últimos eran: los indios debían

hablar siempre entre sí quechua o aymará, sobre todo si les oían mestizos, criollos o españoles. El otro recurso consistía en decirles a éstos, invariablemente, que la sublevación era en servicio del Rey y de la iglesia. Es decir, en cumplimiento de las leyes de Indias y de los preceptos cristianos. Esto ayudaba a captar adeptos y confundía a los enemigos.

Es sorprendente el cuidado con que todos los implicados en el levantamiento siguieron esos preceptos. Como es natural el primero en hacerlo era Túpac Amaru. Y todo se hizo tan cuidadosamente que, la conmoción revolucionaria de 1779 abarcó vastísimas regiones sin que las autoridades virreinales pudieran impedirlo, ni llegaran nunca a descubrir la red de los complicados. Todo el sur del virreinato del Perú, incluso el corregimiento de Arica, todo el altiplano boliviano y grandes extensiones del noroeste argentino, aparecieron contaminados desde el principio.

Francisco Cisneros vecino de Sicuani, dice que fue prisionero de Túpac Amaru y después uno de sus secretarios y que oyó, de boca del caudillo, que durante una de sus estancias en Lima comunicó sus planes con nueve personas de categoría en el virreinato (diciendo siempre que lo hacía en nombre del Rey y de la Iglesia), y que ellos lo estimularon a que pasase a la ejecución y no fuese a España a pedir justicia, ya que los dos que habían tratado de hacerlo (Blas Túpac Amaru, pariente de José Gabriel, y el gobernador Santelices) habían sido asesinados. El mismo Francisco Cisneros oyó decir a la mujer del caudillo, persona discreta y de pocas palabras, que algunos altos personajes de Lima habían prometido su ayuda o, al menos, su asistencia pasiva. Uno de ellos fue Miguel Montiel, lector y exegeta entusiasta de los *Comentarios Reales* del Inca Garcilaso (lectura prohibida en Lima). Y otros, Mariano Barrera y el vecino de Potosí Lucas Aparicio. El primero hizo un viaje a Inglaterra y volvió con armas, aunque pocas. El segundo intervino en la organización de una fundición clandestina para fabricar arcabuces y mosquetes.

El secreto con que los indios llevaban las tareas conspirativas es menos de extrañar si se recuerda su naturaleza retraída y suspicaz. Al sublevarse los indios de Mohosa, Machacamarca, Cavari, Yani, Suribai, Icocha e Inquisivi, exhibieron como contraseña una pequeña medalla de madera con las figuras del Inca y de su mujer hábilmente grabadas.

Una vez declarada y proclamada la rebelión se vio que la organización era tan poderosa que no hacía falta el secreto en los movimientos del Inca y éste, aunque iba siempre con escolta, parecía descuidado y seguro de sí. Sólo de esta manera se conciben los hechos que voy a relatar.

Un día de marzo de 1780 pasó, Túpac Amaru, por una aldea de cierta importancia que se llamaba Ollantaytambo. Iba con su escolta y al paso de su caballo, bajo la garua que más que mojar, acariciaba el rostro y refrescaba el ánimo.

El nombre de la aldea le hizo recordar el de la obra de teatro que iba a ver aquella noche en Tintha: *Ollantay.* Le gustaba el teatro y más de una vez había asistido en Lima a las representaciones que daba la Perricholi de fastuosas obras de Calderón, a las cuales añadía intermedios de música y cante mientras el virrey Amat la animaba y requebraba desde su palco platea.

Pero la representación de *Ollantay* no iba a hacerse en ningún teatro, sino al aire libre, contra los muros del edificio del Cabildo coronados con antorchas y otras luminarias. Las voces en quechua resonarían armoniosas y graves. Según le habían dicho, estaban acudiendo a Tintha en largas caravanas *ayllúes* enteros, incluidos los ancianos y los niños.

Ollantay escrita en versos quechuas por un cura aficionado a la poesía, no era producto de la cultura incaica, pero, podía considerarse una *imitación genuina.* Más tarde, un erudito peruano iba a traducir *Ollantay* al español. He aquí cuatro versos que suenan más a Castilla que al Cuzco:

No tiene el Amazonas en sus orillas
rosa como la rosa de tus mejillas,
ni en sus laderas tienen nuestras montañas
roca como la roca de sus entrañas.

Si cambiamos *Amazonas* por *Manzanares* tendremos cuatro versos atribuibles a Lope de Vega.
El que escribió *Ollantay* había leído tragedias griegas y latinas.
Pero nada de esto interesaba a Túpac Amaru, quien asistía a la representación de la tragedia como un monarca a una fiesta cortesana.
Aquella noche fue una de las más brillantes de su corto y azaroso reinado. Estaba en una galería o solanar abierto en el cual habían sido dispuestos sillones tapizados de terciopelo carmesí y doseles con las insignias del imperio, en el centro de las cuales destacaba el disco solar con sus rayos de oro y entre ellos gemas de gran valor, principalmente esmeraldas.
Antes de la representación, fueron cantados *yaravíes* en quechua acompañados de la quena (flauta hecha con la tibia de un ser humano). Eran cantados según la manera prohibida expresamente por la inquisición española, es decir, poniendo el extremo inferior de la quena dentro de un cántaro o una pequeña tinaja vacía donde el sonido frío y metálico adquiría en la vibración de los calcios lúgubres to-

nalidades siniestras. Las autoridades solían prohibir aquella música porque daba a los oyentes una extraña embriaguez que consideraban satánica.
Y porque la letra de las canciones solía ser pecaminosa, ya que reprochaba a Dios habernos dado una vida donde todas las sublimidades se nos mostraban para sernos negadas o arrebatadas un día (el de la muerte) sin haber alcanzado total cumplimiento. Los *haravicus* (vates quechuas) eran en ese sentido tan tristes como los clásicos poetas elegíacos de Grecia y de Roma. Por eso mismo eran también más eficaces en cuanto a despertar emociones nuevas y agitar los misterios de nuestro inconsciente, ya que con la quena y la oquedad fría y resonante parecían aludir al sepulcro y recordarnos a todos esa palabra ante la cual tiembla el Universo: *muerte.*
Los yaravíes de la quena no eran siempre como los del *Manchay-Puito hampuy nihuay,* la canción más expresamente prohibida por la Iglesia:

No es un dios bueno el que siembra
en mi corazón las penas
del infierno cuando busco
el amor y la bondad
en una paz que nunca alcanzo...

A veces había otras canciones sin angustia aparente,

aunque siempre hubiera en la apelación a la grima (la quena y el cántaro vacío), ese helado deleite culpable donde los heraldos de la muerte hacen su guardia. Pero la letra tenía sus vibraciones idílicas a pesar de todo:

Las manzanas de tu pecho
son más dulces a mis labios
que a las abejas la flor...

Escuchaba todo aquello Túpac Amaru diciéndose: "Lástima que mi esposa no haya venido conmigo esta noche. La tristeza del Manchay-Puito habría sido más sabrosa".

Porque toda la gente que vive en las montañas sabe — mejor que la del llano — que hay tristezas sabrosas. Todos menos los españoles que buscan en el catolicismo un gozo a la medida de cada ambición. Una orgía en la que infierno, purgatorio, cielo y limbo andan mezclados. Sólo hubo un católico sin embargo que alcanzara a gozar plenamente de su catolicismo y hacer de él danza y canción: San Francisco de Asís.

El argumento de *Ollantay* tiene todos los trucos y habilidades de una comedia de capa y espada y alguna resonancia de la tragedia griega, incluidos los coros.

Lo que sucede en *Ollantay* es lo siguiente:

Un caudillo militar cuyo nombre es el de la tragedia cae en el peligroso atrevimiento de rebelarse contra el Inca. Como no hay argumento teatral posible sin amor, Ollantay se ha enamorado de una princesa que saca del palacio del Cuzco y se lleva a un castillo en el que viven los dos felizmente.
Naturalmente el castillo es del Inca y está guarnecido con tropas también desleales al emperador.
El Inca no era tonto. Llamó a un general valiente, Rumiñahui, y le propuso un plan bastante hábil. Fue ese general acusado de haber profanado el santuario de las vírgenes del Sol y sentenciado a recibir azotes en público. Envilecido y castigado (cuya noticia llegó a Ollantay), el valiente Rumiñahui fingió escapar de la corte del Inca y pidió refugio al caudillo rebelde.
Ollantay lo recibió muy contento. El fugitivo era un general de prestigio.
A todo esto los amores de Ollantay y la princesa Inca habían dado fruto: la hermosa Imasumac.
Un día, fingiendo Rumiñahui defender el castillo contra un ataque del Inca, lo que hizo fue entregarlo con todos sus defensores.
La venganza del Inca fue implacable, pero se salvaron la princesa enamorada y su hija Imasumac.
Hermosa leyenda, más o menos genuina, es decir, con base más o menos enraizada en la historia. (Más bien menos.)

¿Pero a quién le interesa la historicidad de una obra de teatro?

Bajo la presidencia de Túpac Amaru la representación fue transcurriendo felizmente. Lo que le faltaba de artificio profesional lo suplían los improvisados actores con su entusiasmo y con la espontaneidad de sus cantos y danzas. Lo que no podían imaginar era que el final de Ollantay era parecido al que esperaba a Túpac Amaru.

Aunque el caudillo de Tintha no había sido o no creía ser un traidor al emperador español Carlos III. Pensaba en él como en un monarca que quería el bien de los indios y a quien engañaban todos en el Perú, desde el virrey hasta los corregidores y sus más mínimos auxiliares. Al menos eso decía cuando hablaba con mestizos, criollos o españoles.

Las leyes de Indias eran buenas, pero en su cumplimiento se interponían precisamente los que estaban obligados a servir al Rey: chapetones oficiales del virrey, godos aventureros, criollos y muchos sacerdotes simoníacos que se enriquecían obligando a los indios a comprar toda clase de objetos innecesarios: rosarios (cuyo uso ignoraban los indígenas) sin los cuales no les permitían entrar en el templo, y hasta botellines con agua bendita.

Estos hechos eran de conocimiento general y ayudaron a confundir las fronteras que separaban la

rebelión india de la oposición que ofrecían al virrey muchos criollos descontentos y cholos, que soñaban con la independencia. (Aunque no con el restablecimiento del imperio del Cuzco.)
Durante la representación, Túpac Amaru veía a aquella multitud de indios atentos al espectáculo y felices y pensaba en los de la provincia de Potosí, especialmente en la región de Chayanta que también se llamaba Charcar. Allí tenía Túpac Amaru un lugarteniente inapreciable: Tomás Catari. Vivía Catari en un pueblo llamado San Pedro de Macha y lo mismo que José Gabriel, había denunciado Catari los abusos y los crímenes de los corregidores tomando a veces el partido del Rey español contra sus codiciosos súbditos hasta el extremo de que los administradores de las Cajas Reales de Potosí le había dado la razón en varias ocasiones y llegado en una de ellas, a dictaminar de acuerdo con sus denuncias. Tan justificadas estaban.
Los indios de aquellas regiones privilegiadas eran expertos agricultores y ganaderos y figuraban entre los más ricos del virreinato. Sobre ellos caían los administradores de la mita para sacarles el dinero a cambio de librarlos de aquella servidumbre. Túpac Amaru esperaba a Catari con sus indios (que lo idolatraban) para dar a la sublevación un carácter de alzamiento nacional. Catari era ya uno de sus coroneles y disponía de caballos y armas. Mientras

Catari llegaba, se sentía José Gabriel, sin embargo, fuerte y seguro en la provincia de Tintha, cuyo corregidor, ejecutado en la horca, estaba en la imaginación de todos los españoles que por una razón u otra se sentían culpables.

Recordaba José Gabriel algunas circunstancias pintorescamente trágicas del día de la ejecución de Arriaga. Recordaba que obligó al corregidor a enviar una cédula, con su sello, convocando a todo el mundo para que acudieran de las poblaciones próximas. No sabía Arriaga con qué fin los convocaba y, cuando acudieron y vieron al mismo corregidor colgado de la horca, vio Túpac Amaru que nadie se extrañó, que ni un solo — hombre, mujer o niño —hizo muestra de compasión y que sin que él dijera una sola palabra, toda aquella multitud antes sumisa y resignada se sintió en rebeldía y dispuesta a compartir la responsabilidad de aquel hecho.

También había obligado, Túpac Amaru, al corregidor, a hacer otras diligencias como pedir a su cajero que le remitiera todos los fondos disponibles. El caudillo rebelde obtuvo por ese medio 22.000 pesos, algunas barras de oro, 75 mosquetes, bastante munición y bestias de carga y mulas. Contra su voluntad, Arriaga, estaba actuando como un agente revolucionario de Túpac Amaru.

Aquella misma noche se reunió Túpac Amaru con su estado mayor en Tungasuca, y decidieron cortar

puentes sobre algunos ríos para impedir la concentración de fuerzas del virrey y prepararse a un ataque a fondo. Fueron destruidos los puentes de Quiquijana, Urcos, Caycay, Pisac, Lamay y Calca y trataron de hacer lo mismo con los de Hnayllabamba y Urubamba. En todas esas diligencias, las órdenes eran transmitdas por mujeres indias con las que había logrado formar una red de comunicaciones la esposa del caudillo, Micaela Bastida.
El estado mayor de Túpac Amaru acordó algunas medidas estratégicas de importancia, como construir grandes embalses de agua al norte de La Paz y en las cercanías de Lima, para inundar con ellos esas ciudades cuando llegara el caso de atacarlas a fondo. El embalse de La Paz se llevó a cabo usando el mismo ardid de simuladas órdenes virreinales, ya que de otra forma no habría sido posible emplear una masa de 5.000 indios sin llamar la atención. El hecho de que la mayor parte de ellos estuvieran en el secreto, y éste, no se trasluciera a las autoridades, demuestra hasta qué punto la cautela peculiar de los indios era puesta a contribución.

X

A todo esto, algunos curas acataban voluntariamente la autoridad de Túpac Amaru a quien recibían bajo palio. En sus viajes a Tintha era recibido con honores reales. He aquí un párrafo de la declaración de Esteban Escarcena a las autoridades, según se puede ver en los documentos existentes en el Archivo de Indias sobre la sublevación.

Dice el citado Escarcena:

"Consta como haviendo llegado al pueblo de Andaguailillas le salio a recivir el Cura, y llegando al pie de las gradas del cementerio subieron quatro, o cinco Sacerdotes todos vestidos de capas de coro con una Cruz, y el Acetre de agua bendita con palio bajo del qual lo recivieron haciendole besar la Cruz, y dandole el agua bendita, y entro de este modo hasta el Altar mayor, y le descubieron a nro Señor Sacramentado, rezando la estacion mayor los Sacerdotes, y cantando otras oraciones, y para cerrar a nro Señor le tomaron la venia al Revelde."

Después de todas esas ceremonias, Túpac Amaru arengaba a la población india bajo la cruz alzada. La concentración de rebeldes y la victoria en sus primeras escaramuzas causaron alarma en el Cuzco,

ciudad vecina del valle de Vilcamayo, donde el 12 de noviembre reunió sus fuerzas el caudillo.
Tenía el Cuzco unos 25.000 habitantes y su corregidor Fernando Inclán formó una junta de guerra, confió el mando de la tropa al sargento mayor Joaquín de Valcárcel, un coronel experto, y éste instaló su cuartel general en el convento de los jesuitas, donde precisamente Túpac Amaru había vivido como estudiante.
El convento estaba vacío desde que el virrey Amat expulsó del Perú a los jesuitas en cumplimiento de las órdenes del Rey después de la disolución de esa orden por el Sumo Pontífice.
La reacción en Lima fue inmediata y todas las fuerzas disponibles fueron puestas en pie de guerra.
Dice un documento de la época que el virrey "dio cima a algunas diligencias con objeto de impedir que la rebelión tomase mayores proporciones. Al efecto, se ordenó a Cabrera, corregidor de Quispicanchi, que juntase sus milicias y esperase en Oropesa a D. Tiburcio Landa con una compañía. Los caciques de ese lugar, Sahuaraura y Chillitupa, reunieron 800 hombres entre indios y mestizos, y algunos vecinos distinguidos del Cuzco se plegaron también a la expedición. Landa llevaba la orden de esperar en Huayrapata los refuerzos que ése estaba organizando; pero las excitaciones de Cabrera que lo acompañaba y que estaba ansioso de recobrar lo

que había perdido, así como la impaciencia imprudente de los soldados, que se sentían movidos del espíritu y valor que les alentaba, o envidiosos de la gloria de triunfar de un enemigo que no consideraban poderoso a sus esfuerzos, indujeron a Landa a avanzar sin tardanza al encuentro del enemigo. Así lo hizo, llegando el 17 a la aldea de Sangarara, a cinco leguas de Tintha. La división compuesta de 604 hombres pernoctó acampada en la plaza; se colocaron vigías y centinelas; pero como los exploradores regresaron diciendo que todo estaba tranquilo, todos se abandonaron al descanso, con la resolución de batirse al día siguiente. A las cuatro de la mañana del 18, los centinelas dieron la alarma; había nevado y cuando Landa reconoció el campo, vio que se encontraba rodeado por una fuerza considerable de indios hostiles. Landa se replegó con sus fuerzas a la iglesia donde también se refugiaron el cura, su ayudante y 30 mujeres, casi todas indias. Túpac Amaru le intimó que capitulase, lo que Landa rechazó.

"Segunda vez escribió carta al cura para que saliese de la iglesia con su compañero. Viendo que no había respuesta, mandó decir Túpac Amaru saliesen de la iglesia todos los criollos y mujeres. Con esta propuesta quisieron practicar la salida muchos de los criollos y la embarazaron otros con espada en mano, haciendo muchas muertes y violando el templo del Señor de tal modo que el cura se vio obligado a enviar recado a Túpac Amaru para que contuviese aquel desorden. Poco después la pólvora que tenían dentro de la iglesia se prendió y no se sabe si con la ayuda de algún cañón voló una parte de la techumbre y desplomó un pedazo de pared. Descubierta ésta, dispararon un cañón a la parte donde estaba Túpac Amaru, inmediata al lienzo caído y murieron siete indios del tiro. Pelearon valerosamente los europeos y particularmente Escajadillo y Landa; el primero saliendo de la iglesia con puñal y pistola y luchando hasta que le faltaron las fuerzas por los muchos garrotazos que caían sobre él; y el segundo murió atravesado por una lanza. De los 604, sólo quedaron 28 heridos, todos criollos; a los que hizo curar Túpac Amaru, dándoles libertad para que se fuesen; los restantes 576 murieron, entre ellos veinte y tantos europeos; de los conocidos apenas se da razón. De los indios murieron 15 y quedaron heridos treinta y tantos. Después de la lucha que duró hasta las once del día mandó Túpac Amaru 200 pesos al cura para que enterrarse los cadáveres ofreciéndole que él se encargaría de restaurar el templo. El capellán de la expedición don Juan Mollinedo cayó prisionero con otros, pero Túpac Amaru le dejó en el acto la libertad y le permitió regresar al Cuzco".

El obispo Moscoso, del Cuzco, que hasta entonces

había tomado una actitud tolerante — algunos decían partidaria — con Túpac Amaru, destapó la caja de los truenos.

La cédula de excomunión es un documento con el cual, el obispo, trata de cubrirse de los ataques de los que le habían acusado de demasiada condescendencia con el rebelde.

Dice la cédula de Moscoso:

"Tengan por público excomulgado, de excomunión mayor, a José Túpac Amaru, cacique del pueblo de Tungasuca, por incendiario de las capillas públicas y de la iglesia de Sangarara, por salteador de caminos, por rebelde. Traidor al Rey, Nuestro Señor, por revoltoso, perturbador de la paz y usurpador de los Reales Derechos; y a todos cuantos le dan auxilio, favor y fomento, y a los que le acompañan, si luego que tuvieren noticia de esta censura no cesan en su comunicación, y se desisten de auxiliarlo en su depravado intento; y bajo la misma pena, ninguno se atreva a desfijar este Cedulón del lugar de la iglesia donde se fijare, reservando a Nos la absolución de todo, que es fecho en la ciudad del Cuzco. — *Juan Manuel Moscoso.* — Por mandato de Su Señoría Ilustrísima, el Obispo mi Señor. — Doctor José Domingo de Frías, Secretario."

Como entre los indios había algunos fanáticos y otros que sin serlo obedecían fielmente a la Iglesia, la excomunión podía serle funesta a Túpac Amaru, quien decidió acelerar la revolución por esa y por otras razones. La primera, aprovechar la ventaja moral de su primera victoria.

XI

Comprendieron los españoles del virreinato que Túpac Amaru era un enemigo serio y peligroso y no sólo por la violencia de sus ataques sino también por la astucia de sus diligencias políticas, ya que después de la victoria de Sangarara escribía al obispo del Cuzco: "V. S. Ilustrísima no se incomode con esta novedad, ni perturbe su cristiano fervor, ni la paz de los monasterios, cuyas sagradas vírgenes e inmunidades no se profanarán en ningún modo, ni sus sacerdotes sufrirán la menor ofensa de los que me siguieren. Los designios de mi saneada intención, son, que consiguiendo la libertad absoluta para los hombres de mi nación, el perdón general de mi aparentada deserción del vasallage que debo, y el total abolimiento de las servidumbres injustas luego me retiraré á una Tebayda á donde pida misericordia, y V. S. Ilma. me imparta las bendiciones para mi glorioso fin, que mediante la divina misericordia espero, á cuyo fin aspiro y á quien clamo con los mayores ahincos de mi alma por la importante vida de V. S. Ilma. Tungasuca, 12 de diciembre de 1780".

El obispo Moscoso, hombre de apariencia bondadosa, expresión impersonal, redonda cara severamente rasurada y ojos dulces, no sabía cómo entender aquello. A veces parecía una burla, a veces un rasgo de inocencia y más probablemente una habilidad.

Entretanto Túpac Amaru cometió el error de retirarse a Tungasuca. Llevaba consigo los despojos de la victoria, entre ellos 400 fusiles y no pocas pistolas, dagas y sables. Si hubiera marchado sobre el Cuzco lo habría tomado sin más resistencia que la que acababa de vencer en Sangarara, y las consecuencias de la ocupación de la capital de los incas habrían sido fabulosas en el terreno político.

No se retiró sin embargo Túpac Amaru a sus cuarteles por timidez, sino porque tenía otros planes, como se vio en seguida. A principios de diciembre cruzó con sus tropas la cordillera de Vilcanota por Santa Rosa y avanzó hasta Lampa. A su paso por las aldeas arengaba a los indios y los autorizaba *en nombre de S. M. el Rey* a deponer y matar a los corregidores y a los administradores de la mita.

El 13 de diciembre (1780), Túpac Amaru entró en Azángaro en las orillas del histórico lago de Titicaca. El cacique indio era del bando de los españoles y José Gabriel hizo destruir y allanar su casa declarando a Choquehuanca (ése era su nombre) traidor y enemigo del pueblo.

Hallándose con sus tropas en aquella población recibió noticias de Micaela Bastida, su esposa, di

ciéndole que en el Cuzco concentraban los españoles fuerzas considerables. Decidió Túpac Amaru desandar camino e ir por Asillo y Orarillo al valle de Vilcamayo. Pensaba aumentar sus huestes en Tungasuca y marchar sin demora a las alturas de Piechu, desde las cuales se dominaba el Cuzco a una distancia no mayor de un cuarto de legua.
En Azángaro se le incorporaron muchos indios que andaban escondidos huyendo del cacique, quien los buscaba para los servicios de la mita minera de Potosí. Algunos de ellos habían servido dos o tres meses en las minas y logrado escapar, aunque parecía imposible dada la vigilancia a que los sometían y la manera de llevarlos atraillados al trabajo y tenerlos sujetos durante el tiempo en que dormían. Los desertores de Potosí, a quienes el caudillo había armado con mosquetes y concedía distinciones, caminaban a su lado y se disputaban la gloria de llevar el caballo de su jefe por la brida. Entretanto hablaban de sus miserias en el trabajo de extracción de la plata y, a medida que los oía, iba Túpac Amaru imaginando con una claridad estimulada por el odio la abyección que comenzaba con la extracción del blanco metal, y lo acompañaba a las fundiciones, a las mesas de los poderosos — ya trocado en oro —, a las gavetas de los usureros, a los lechos de la prostitución. La plata en barras con cuño y troquel real se contaba en pesos de oro.

Era un camino dorado, donde el fulgor amarillo hacía más ostensible la miseria y más objecionable la gloria. Hablaban los indios de sus penalidades sin descanso. Si a veces se callaban era porque uno de ellos, que parecía ebrio de alegría, se ponía a cantar en quechua:

Punkusniyquita kicharyi
supaypaj laurasqhaj wasin
k'ajasqhaj lokhos nyikipi
samaqheita p'a, panaypaj.

Lo que quería decir en español:

Ábreme tus puertas,
infierno, morada de Satanás,
quiero mi alma sepultar
en tus cavernas horribles y ardientes.

Mientras oía la canción, Túpac Amaru, seguía pensando en los tesoros tan difícil y penosamente extraídos y tan fácil y orgiásticamente consumidos. Creía estar viendo a los indios encadenados que iban uno tras otro por las estrechas grietas rocosas hacia las entrañas de la tierra. Había en Túpac Amaru una tendencia natural a representarse las grandezas o las miserias de los hombres, de un modo vivaz y plástico dentro de su recuerdo, o de su esperanza, o simplemente en los espacios del presente.

A él mismo le sorprendía a veces la claridad de aquellas representaciones y lo atribuía a su naturaleza india, ignorando que también las tenían los españoles.

El caso es que, mientras caminaban sierra adelante y escuchaba las lamentaciones de los indios desertores de la mita, seguía pensando en la obsesión de los españoles por la plata y el oro. Comprendía aquella obsesión. En cierto modo él también daba importancia al oro con el cual se conseguían todas las cosas. O casi todas.

No podía evitar, Túpac Amaru, la tendencia reverencial por aquel metal que compartían los incas de la antigüedad porque el color del oro parecía ser el mismo del sol, su dios. Y a lo largo de los dos siglos de coloniaje, el ejemplo de los españoles y el orden económico de su imperio había hecho del oro un símbolo de poder temporal lo mismo que el sol lo era de poder eterno, con los amantas. Por Potosí, inmenso cerro de plata lunar, se llegaba al sol.

Túpac Amaru si no adoraba el oro, como los españoles, tenía por aquel metal el respeto que se tiene por lo necesario. Más aún, por lo indispensable. Y le causaba horror oír a los indios que, a un lado y al otro de su caballo, seguían refiriendo sus desventuras.

Y Túpac Amaru les oía decir en su idioma sonoro y musical: "Los españoles comen y beben oro, hacen el amor con oro, compran a Dios con oro, rezan con rosarios de oro, matan y mueren por el oro y van, cuando mueren, a un cielo con árboles y columnas y palacios de oro. Como aquí el oro está en el fondo de los ríos y los entresijos de las arenas allí van como lobos. Por la plata logran también el oro. Y en Potosí los españoles rompen la tierra, rompen la piedra con truenos y estampidos y la tierra y la piedra caen en otro agujero y matan indios, pero si viven y salen con plata vuelven a entrar y a sacar más, y los viracochas se la llevan, y la cuecen, y la pesan, y se la reparten con escribanos y jueces, y sacan el quinto para unos, el quinto para otros, y entierran a los indios muertos y traen otros en largas catervas atados como los mulos de tu recua, señor".

Así seguían repitiendo, una y otra vez, las cosas que tan bien sabía Túpac Amaru mientras éste pensaba en las dudosas o ciertas glorias que, con el oro, se conseguían en las mesas de los magnates, en los estrados de los príncipes o en los lechos de las cortesanas.

"Lo que pasa con el corregidor de Potosí — decía un indio con la cara marcada por el chicote de los guardianes — es que saca su quinto y es más avorazado que el virrey." Luego proponía a Túpac

Amaru ir en su busca, apresarlo y hacerle beber plata líquida hasta quemarle las entrañas, ya que tanto le gustaba.

Otro indio contaba que, según noticias de los viracochas, había en el fondo del lago Titicaca cientos de *bultos* del tamaño de un hombre con las formas también imitadas de los grandes caciques antiguos. Eran *bultos* que arrojaban al lago para pacificar y apaciguar a los dioses adversos. Y muchos españoles habían bajado buceando y, agarrado en el fondo aquellas grandes piezas de oro, no querían soltarlas ni querían subir sin ellas a la superficie. Así la mayor parte habían muerto ahogados y, luego, subían a flote hinchados por la barriga y se los comían las aves y luego volvían a hundirse para siempre.

—Los putos cabrones — decía el indio —, por no soltar el oro, allí morían con toda su ansia de riquezas.

Hablaban en quechua, pero cuando se trataba de insultar a alguien lo hacían con expresiones españolas.

—Porque el oro vale más que la vida, para ellos.

La columna militar seguía marchando sin prisa y sin tregua. Y recordaba Túpac Amaru, oyendo a los indios, que otros españoles habían bajado buceando con sogas arrolladas a la cintura y logrado enlazar lo, que en la oscuridad, parecía uno de aquellos *bultos* de oro. Luego, cuando volvían a la superficie y tiraban de la cuerda, lo que sacaban, no era la ansiada escultura de oro macizo sino uno o dos muertos de los que bajaron antes con el mismo propósito.

Pero, por encima de aquellas macabras rememoraciones quedaba intacto, en su limpio fulgor, el oro. El hecho mismo de que costara lágrimas, sangre, vidas humanas en el lago y en las entrañas de la tierra, enaltecía su valor y aumentaba su prestigio.

No entendía Túpac Amaru aquel misterio, por el cual, la pérdida de vidas humanas hacía más valiosa la gloria de una victoria, la grandeza de una causa y hasta la calidad de un metal precioso.

O de una perla sacada del mar.

O de un diamante hallado en el fondo de una mina de carbón.

La vida humana, que parecía tener una justificación final en sí misma, resultaba a veces sólo un accidente que añadía valor a otras cosas (objetos, circunstancias morales).

No lo entendía, Túpac Amaru. Sólo sabía que necesitaba también el oro para las armas, los víveres, incluso los sueldos de campaña de sus capitanes. Aunque entre éstos no había, probablemente, un solo mercenario.

Y pensando en anticiparse a la concentración de fuerzas enemigas en el Cuzco, aceleraba la marcha sin que se lamentara, un solo indio, de la aspereza del camino.

—¿En qué piensas? — preguntaba a un ayudante indio que cabalgaba a su lado.

—En que el oro y la plata son la ruina de los hombres. Y la gloria.

—Eso, según.

Pensaba en la plata de Potosí, en el oro de los tahúres en sus chirlatas, en el de las damas de la corte de Lima. En el oro del viejo virrey que compró los favores de la Perricholi y, también, en la plata líquida e hirviente que el indio quería hacerle beber, al corregidor de Potosí, en una noche de luna llena.

En aquel momento el cielo parecía también de oro por el lado del poniente. "Al amanecer — se dijo Túpac Amaru — estaremos en Picchu." Antes pasarían por Tungasuca, donde esperaba encontrar a su dulce esposa Micaela, la futura emperatriz inca, según sus esperanzas.

Quería, para ella, una corona de oro, después de la victoria.

XII

En las sombras cantaba un soldado indio siguiendo el ritmo de la marcha:

Wañuita mask'aj
ñuca riskani;
auqanchi jkuna
jamuyanqanku
jalatatajtin.

que, en español, quería decir algo en relación con la guerra:

Yo he de marchar al campo
de batalla.
Los enemigos se rendirán
si ven que su baluarte
se desmorona.

Entretanto el virrey Jáuregui, viendo la gravedad de la situación, formó en Lima una junta presidida por él mismo. Otros miembros de ella eran el visitador general del Rey, José Antonio de Areche, hombre violento y despótico — el mayor enemigo personal que tuvo Túpac Amaru —, el inspector general José del Valle y los miembros de la Real Audiencia.

Como medida política, encaminada a debilitar y desorientar a los rebeldes, declaró el virrey abolido el reparto de mercancías (de compra obligatoria) que hacían los corregidores. Al mismo tiempo, nombró al mariscal José del Valle comandante militar.

En los primeros días de enero de 1781 se habían concentrado en el Cuzco tres mil fusileros, seis cañones, tren de combate y alguna caballería. Las fuerzas de Túpac Amaru eran muy superiores, aunque peor armadas.

El 28 de diciembre había comenzado el caudillo rebelde a acosar a la ciudad y a tomar posiciones ventajosas. El pánico en el Cuzco era tal que una parte importante de la población estaba dispuesta a aceptar las exhortaciones y promesas del jefe agresor y a entregarle la ciudad. La junta de defensa, advertida de esa corriente derrotista, ordenó tomar medidas graves contra los cabecillas. Esto no influyó gran cosa en el espíritu de la población civil, que huía de la ciudad o se pasaba a las filas enemigas. Hubo que decretar pena de muerte contra los que intentaran lo uno o lo otro.

Túpac Amaru, obedeciendo al deseo de obtener el trato de un ejército regular, antes de atacar a fondo envió mensajes y embajadas. La del 3 de enero de 1781 llevaba un comunicado que comenzaba así:

"Muy Ilustre Cabildo:

"Desde que dí principio á libertar de la esclavitud en que se hallaban los naturales de este reino, causada por los corregidores y otras personas, que apartadas de todo acto de caridad, protegían estas estorsiones contra la ley de Dios, ha sido mi ánimo precaver muertes y hostilidades por lo que á mí corresponde. Pero, como por parte de esta ciudad se egecutaron tantos horrores, ahorcando sin confesión a varios individuos de mi parte, y arrastrando otros, me ha causado tanto dolor, que me veo en la precisión de requerir este cabildo contenga á ese vecindario evitando esos excesos, franqueándome la entrada á esa ciudad: porque si al punto no se cumple esto, no podré demorar mi entrada en ella á sangre y fuego, sin reserva de persona. A este fin pasan el R. P. Domingo Bejarano y el capitán D. Bernardo de la Madrid, en calidad de emisarios, para que con ellos se me dé fija noticia de lo que ese Ilustre Cabildo resolviese en un asunto de tanta importancia: el que exige rindan todas las armas, sean las personas de cualquiera fuero, pues en defecto pasarán por todo el rigor de una justa guerra defensiva. Sin retener por ningún pretesto á dichos emisarios, porque representan mi propia persona, sin que se entienda sea mi ánimo causar la menor estorsión á los rendidos, sean de la clase que fuesen, como ha sucedido hasta aquí. Pero si obstinados intentan seguir los injustos hechos, experimentarán todos aquellos rigores que pide la divina justicia y la justicia humana."

Trataba, no sólo de conquistar la benevolencia de la Iglesia, sino también la neutralidad de los criollos y los cholos. Con todo lo cual creía debilitar la resistencia, máxime, sabiendo que tenía muchos partidarios dentro de la ciudad.

Un testigo que estuvo presente en la embajada la refiere, en una carta desde La Paz, en los siguientes términos:

"Omitía decir, y se reflexiona en ello, que para el avance primero á la ciudad, envió antes el rebelde su embajador. Este individuo así caracterizado, le habló al Ilustrísimo Sr. Obispo en estos términos: «Que venía de parte del señor don José Gabriel Túpac-Amaru, Inca, a decirle, que desea no proceder contra ninguno de los patriotas, ni inferir agravio en aquella ciudad; pero siempre que una necia preocupación dirigiese sus paisanos contra él, tenía resuelto pasarlos a cuchillo», así se explicó don N. La-Madrid de nación montañez. E incorporándose aquel Ilustrísimo Prelado, después que no le perdió una palabra a su razonamiento, le contestó: «Que se le quitase de delante antes que el fuego de su indignación prendiese; y que se le digiese á ese rebelde, que la ciudad tenía vasallos muy fieles a S. M. para castigar su atrevimiento, como lo experimentaría muy en breve». Con esto lo despidió, y su Ilustrísima despojándose de sus hábitos talares, y tomando las armas, se puso á caballo y dirigió a sus clérigos y religiosos un patético razonamiento, bastante á disipar preocupaciones. Todos los que se hallaron aptos tomaron las armas, siguieron su ejemplo, y lo acompañaron hasta el mismo sitio de la refriega."

Hubo escaramuzas por los alrededores de la ciudad, con resultados diversos, algunos muertos y prisioneros de los dos bandos y por fin el 8 de enero comenzó la batalla y el asalto a la ciudad. Según Mendiburu, un autor digno de consideración, los hechos se produjeron en la siguiente forma:

"El 8 se dió una batalla sangrienta en los suburbios y en las alturas, que duró dos días y en la cual se distinguió un fraile dominico, fray Ramón Salazar, que parapetado detrás de un peñasco, prestó servicios positivos con su fusil, contribuyendo a introducir la confusión entre los indios. El cabildo del Cuzco da cuenta de este combate en los términos siguientes: «Se pusieron todas las tropas sobre las armas para ocupar los puestos convenientes, y a las once del día empezó el combate con aquella anticipada y prevenida gente, se aprontó luego la compañía del Comercio que constaba de

130 fusileros con su capitán don Simón Gutiérrez que se le mandó subir al Cerro [de Picchu] con el coronel agregado don Isidoro Guisasola y don Francisco Morales. Esta compañía se manifestó dispuesta a operar con valor y esfuerzo, de que se tuvo satisfacción, por componerse la mayor parte de ella, de hombres de honor, comerciantes de alguna posibilidad y otros dependientes de este gremio, toda gente española que tenía ya acreditado su desempeño, y hallándose municionada, quiso anticipar su marcha con conocido ardor, que no se le permitió hasta comunicar á sus jefes el orden que debían observar, y recibido éste se dirigió al Cerro, en cuya subida guardó la unión y la sosegada forma con que debía hacerlo, por no fatigar las fuerzas con que necesitaba ponerse al frente del enemigo y operar luego con su mayor vigor. Mandóse guarnecer con la compañía de voluntarios que constaba de 80 hombres fusileros, el importante sitio y puente de Puquin, al cargo y cuidado de su capitán, el coronel don Pedro Echave, y apostándose la tropa de caballería del regimento de la ciudad, del mando de su coronel Marqués de Rocafuerte con el cuerpo de caballería ligera del coronel Allende y la gente que se retiró de la provincia de Quispicanchi con D. Pedro de Concha, en los parajes de Belén y Guancaro, se formó una línea que abrazaba los sitios por donde el ejército enemigo podía intentar

sus avances, quedando las demás compañías del regimiento de infantería de esta plaza al cargo de su coronel D. Miguel Torrejón, con los "Pardos de Lima" y demás tropas auxiliares de resguardo, a los movimientos que pudiese intentar la crecida masa enemiga. Llegó repentinamente y se presentó en el sitio nombrado Guancaro el numeroso auxilio de 8.000 hombres que aprontó el corregidor de Paruro, D. Manuel de Castilla, con el fiel cacique de Huariquite, D. Antonio Pardo de Figueroa y Eguiluz, sugeto digno de aprecio por su lealtad, que acompañando siempre a su corregidor con sus indios, cumplió con sus deberes en todas las expediciones. Este gran socorro, en tiempo tan oportuno, alentó a nuestras tropas y observándolo todo el enemigo minoró su arrogante denuedo; mantuviéronse en el mismo paraje de Huancaro y sirvieron de cuerpo de reserva. Subió al Cerro mucha gente suelta de esta ciudad, sin reservarse muchachos y mugeres, que auxiliaban con piedras, bastimento y bebidas a nuestros indios fieles que acompañaban a Laysequilla, quien alentando a su tropa y la de los famosos caciques, hacia una vigorosa defensa contra la muchedumbre de los indios que le fatigaban. Llegó a la cumbre del Cerro la compañía del Comercio, y tomando la formación que convenía para operar contra el enemigo, adelantó una cuarta de ella por el más acomodado sitio para hacer sus descargas desde donde alcanzase el fusil y la egecutó tan pronta y acorde que logró su empeño, lo que puso en confusión al enemigo».”

La batalla duró hasta entrada la noche. Con el día amaneció una niebla espesa que impedía explorar el campo. Poco a poco la niebla fue levantándose con el sol y se vio el campo sembrado de muertos. El enemigo se había retirado llevándose los heridos.

Entre los muertos se pudieron reconocer algunos caciques importantes.

XIII

Una de las dificultades, con las que tropezó Túpac Amaru, era la falta de personal experto en un tiempo en que los ejércitos necesitaban, ya, gente especializada.

Los pocos fusiles de los que disponía no siempre sabían manejarlos los indios. En cuanto a la artillería tenía que recurrir, a falta de otros oficiales, a los españoles, incluidos los que tomaba prisioneros. Un hombre como Túpac Amaru no dejaba de comprender que había, implícito, un peligro de sabotaje en el trabajo de aquellos hombres. Y aunque los hacía vigilar por indios leales, el resultado era el mismo: su artillería era del todo ineficaz.

Tenía como maestro armero y artificiero, al español Juan Antonio de Figueroa, que fue íntimo amigo del corregidor Arriaga ajusticiado en Tungasuca. Y en los informes del bando español sobre su conducta en la batalla del Cuzco se dice que "le dio Túpac Amaru por su habilidad el empleo de armero y artillero, de que se aprovechó este fiel vasallo del Rey para contarnos la facilidad que tuvo nuestro ejército en la última refriega que se trabó el ocho del presente [enero] que ha sido la más considerable; en esta confusión manejó la artillería

Figueroa, de modo que levantada la puntería, quedaron todos los nuestros libres del estrago de los cañones. Fuera de este beneficio, se le debe el haber quedado inútiles las más de las escopetas que robó el Indio al corregidor Arriaga y logró en la derrota de Sangarara y Lampa, pues al componerlas o limpiarlas torcía las llaves, imputando la culpa a los mestizos que las robaban".

La Junta de Guerra estaba presidida por José Antonio de Areche, visitador general del Rey, estricto hasta la crueldad.

Cuando vio Túpac Amaru que las probabilidades de obtener la victoria decrecían, trató de salvar de responsabilidades a sus deudos y allegados, muy en especial a su mujer Micaela Bastidas, a su hijo Hipólito Túpac Amaru todavía en años adolescentes, José Verdejo, uno de sus lugartenientes, otro de ellos llamado Andrés Castelo, Antonio Bastidas, su cuñado, su primo Francisco Túpac Amaru, Tomasa Condemaica, cacica de Acos, que se había distinguido demasiado en la propaganda y en la organización de la revuelta, y también un zambo, llamado Antonio Oblitas, que fue el verdugo que ahorcó a Arraiga después de haber sido su esclavo.

Otros jefes y capitanes caían bajo el mismo riesgo mortal, pero sabía Túpac Amaru que se salvarían en la fuga para seguir atacando a las fuerzas del virrey, como así fue. De momento había que presentar batalla y luchar con ahínco, dando ejemplo de valor y arrojo a las masas indias que lo seguían. Las personas citadas antes formaban parte del estado mayor de Túpac Amaru y, aunque estaban dispuestas a seguir su suerte, el caudillo trataba de preparar su salvación o de aminorar su culpa.

Aunque en días de grandes eventos los que en ellos intervienen tienen la tendencia a conducirse impersonalmente, y sin otros rasgos de carácter que los que requiere su misión, Túpac Amaru conocía bien a las personas que lo rodeaban.

Su mujer Micaela, bajo su apariencia delicada y femenina, disimulaba una firmeza y voluntad de hierro. Gustaba de expresarse por refranes — en quechua — y decía a veces: "Barba de tres colores, barba de cholos y de traidores". También decía: "Criollo honrado come pan, bebe vino y dice la verdad".

Cuando un indio venía de lejos con informes dudosos, Micaela decía a su marido en español para que el mensajero no comprendiera: "A luengas distancias luengas mentiras".

Aquellos refranes solían hacer gracia a Túpac Amaru que amaba tiernamente a su mujer.

En cuanto al hijo, Hipólito, entraba briosamente en batalla y su padre le había aconsejado en vano que cuidara de su persona ya que, un día, sería el heredero del imperio.

—¿Te cuidas tú, padre?

—En mi lugar tengo que ganarlo, el imperio, siendo tan bueno como el mejor de mis soldados.

El joven comprendía aquello. Era muy seguro y firme y solían los indios considerar su palabra como sagrada. El refrán de su madre que más le gustaba era aquel que decía: "El viento cambió la veleta pero no la torre".

Túpac Amaru, aunque nunca lo decía, estaba orgulloso de su hijo.

Los dos combatían a caballo, con lanza, espada y pistolete. La lanza solía quebrarse en los primeros choques y luego la espada y el pistolete — llevaban dos o tres en el cinto — entraban en acción. Hipólito había sido herido con el rebote de una astilla en el hombro izquierdo, pero era una herida superficial que le permitió seguir peleando hasta el final en la batalla del Cuzco. Su padre le obligó a retirarse cuando las sombras de la noche hicieron confusos los sectores del campo donde seguían algunos grupos resistiendo.

En cuanto a los oficiales de su estado mayor, Túpac Amaru tenía que amonestarlos constantemente porque combatían ferozmente acudiendo a los lugares de mayor peligro, y les repetía que hacía falta algo más, y aún mucho más que valor físico, para dirigir y ordenar la acción en el campo de batalla. Eso lo sabía muy bien José Antonio Areche, jefe

de la junta de Guerra del bando virreinal a quien se debió la victoria de la batalla del Cuzco.
La noche siguiente en el campamento de Túpac Amaru se oían aquí y allá los quejumbrosos y siniestros sones de las quenas. Un viejo cantaba mientras su hijo, herido en la cabeza, soplaba en la tibia de los siete agujeros:

Es la muerte una araña
que con cautela
en un rincón del alma
teje su tela.

El hijo de Túpac Amaru que lo oyó se dijo: "Ese anciano aunque no es cholo canta como los chapetones de Lima". Pero con la quena, menos mal. Aquella noche no se consideraba nadie definitivamente vencido. No habían perdido en la batalla armas ni pertrechos y sus tropas sumaban más de treinta mil hombres. Además esperaban un refuerzo de veinte mil más. El resultado de la batalla del Cuzco se consideraría dudoso entre los partidarios del caudillo inca.

XIV

En lo que Túpac Amaru se equivocaba, era en su manera de considerar las intenciones y propósitos del visitador real y jefe de la junta de Guerra José Antonio Areche. Creyendo que él representaba mejor que las autoridades del virreinato los buenos deseos del rey Carlos III con los indios, dedicó todo un día en Tungasuca a redactar un extenso oficio, en el que puso su habilidad y su sinceridad juntas tratando de reducir las responsabilidades de sus partidarios, y de concentrarlas, todas, sobre sí mismo, lo que sin duda era un rasgo de nobleza. Al mismo tiempo que escribía iba representándose, según su costumbre, las personas, las cosas y las situaciones a las que aludía.

"Señor visitador *(y veía a Areche aquel día 5 de marzo presidiendo en sus hopalandas negras el Cabildo inapelable, un cabildo que nunca tenía en cuenta las decisiones humanitarias del rey de España).*

"Con la buena llegada de V. S., he recibido gran placer y deseo que al recibo de ésta disfrute de salud robusta y que la mía pueda ocuparse en lo que fuere de su agrado. *(Esto no lo habría escrito Túpac Amaru, pero tanto insistió su secretario di-*

ciéndole que era una fórmula de cortesía que se usaba en las embajadas de los caudillos enemigos, que acabó por tolerarlo.)

"Tengo hechas varias comunicaciones y varios mensajes por mano de algunos eclesiásticos, procurando y deseando lo que más conviene, para volver a la paz y tranquilidad que tanto desea mi natural inclinación. Deben ser muy justas peticiones, aunque no les gusten a los fomentadores de esta sangrienta discordia porque les servirá, según presumo, de embarazo a sus intereses, pero el provecho de los particulares no debe ser obstáculo para el bien de la República. *(En su imaginación veía a los coroneles y a los capitanes, a los intendentes y a los jeracas de la Iglesia repartirse los miles de onzas de oro acuñado en Lima y recaudado para los gastos de la guerra. Veía al mismo Areche, agarrar codiciosamente las talegas — saquitos de mil onzas contadas y pesadas — y ocultarlas en sus faldriqueras, mientras usaba el nombre del Rey en vano como algunos eclesiásticos usaban el nombre de Dios.)*

"Comenzado el alboroto por la muerte del corregidor don Antonio Arriaga *(y lo recordaba oscilando como un péndulo en la horca)* de la que daré razón donde me fuere pedida, bajé a esa ciudad del Cuzco con ánimo de que todo lo mandado por S. M. (que Dios guarde) se llevara a debido efecto, y hechas las capitulaciones con los señores de ese ilustre cabildo, se publicara la paz y tranquilidad para el bien de esta América. Mi ánimo fue no maltratar ni inquietar a sus moradores; mas los interesados corregidores creyeron que yo iba a demoler la ciudad, lo que habría sido muy contra el derecho de la real Corona de España y del Rey mi señor. Hiciéronme resistencia con grandes instrumentos bélicos a cuyo hecho me vi forzado a responder. No soy sin embargo de corazón tan cruel como los tiranos corregidores y sus criados, sino muy buen cristiano y católico, con aquella firme creencia con que nuestra madre la Iglesia *(y veía a Moscoso Peralta predicando vestido de pontifical y abriendo y cerrando los brazos con un gesto que no llegaba a ser masculino ni tampoco femenino, sino más bien eso que en la gramática llamaban epiceno)*, y sus sagrados ministros nos predican y enseñan. *(Aquí se representaba a centenares de sacerdotes dando voces en los púlpitos y aconsejando resignación a los indios miteños, ya que cuanto más sufrieran bajo el látigo de los españoles, más grande sería su gloria en el otro mundo.)* Se me representó la gran lástima que padecería la ciudad para no imitar a Tito ni a Vespasiano en la destrucción de Jerusalén. Veneré con fervor y con llanto la pureza sagrada y la religión de las esposas de Jesucristo en sus conventos, digo esos coros de vírgenes claustrales y religiosas; y tampoco quise imitar a un Saúl ni seguir las huellas de un Antíoco soberbio; y así después de buscar el parecer de mis oficiales, decidí retirarme del campo hasta hoy día de la fecha. *(Túpac Amaru no creía haber sido derrotado y tenía razón, ya que la derrota no existe mientras el vencido no la acepta.)* Aunque de varias partes me han hostilizado y provocado a mayores violencias, no he querido emplear todas mis fuerzas hasta recibir respuesta de la ciudad del Cuzco para mi gobierno y, ahora, con la venida de V. S. a esa ciudad con poderes reales no dudo desahogaré este mi pecho que tanto desea la paz que es la vida de la República y el justo anhelo de nuestro monarca y Señor. *(Para Túpac Amaru el rey de España era un señor bondadoso que leía con disgusto los informes de sus virreyes y amaba a los indios a quienes los corregidores, los caciques renegados, los dueños de minas, los curas doctrineros, los hacendados y los repartidores explotaban sin piedad. Hasta los criollos habían troquelado una expresión que expresaba cualquier clase de resignación vergonzosa ante el oprobio: hacer el indio.)*

"No hay enigmas ni dobleces en lo que pretendo, sino una pura verdad, que ésta aunque adelgaza no se quiebra. Dos años hace ya que el Rey mi Señor, con su liberal y soberana mano, expidió su real cédula para que de raíz fueran suprimidos esos repartos odiosos y borrados los nombres de esos corregidores ladrones, y lo que hasta hoy se ha estado haciendo es ir entrampando y continuando su inicua existencia con decir que, conforme se cumplieran los quinquenios y se acabaran las mercaderías irían feneciendo; y este modo de entender, es capa de maldad contra la corona del Rey mi Señor y su real conciencia. *(Túpac Amaru imaginaba esa conciencia como un ángel con alas de plata de Potosí.)*

"Y lo que pretendemos todos es que en el día, instante y momento, se borren de nuestras imajinaciones esos malditos nombres, y en su lugar se nos constituyan Alcaldes mayores en cada provincia, que es preciso que los haya, para que nos administren justicia, y que tengan aquella jurisdicción necesaria y correspondiente a su carácter. Por lo que toca a los intereses reales de la tarifa, debo decir a V. S. que lo correspondiente de todo lo que han percibido hasta el día de la cesación y hecho el ajuste verá V. S. que han cogido ya tres y cuatro veces más de lo que el señalamiento de cada provincia ordena; pues no hay corregidor ajustado, aunque sea de la cuna más ilustre."

(Volvían a representársele a Túpac Amaru las famosas talegas, y una voz criolla repetía en su memoria: "Vale un Perú", o "vale un Potosí", o bien "esto es Jauja", que los españoles repetían y detrás de cuyas expresiones había ríos de lágrimas y de sangre.) Pero el caudillo continuaba con su men-

saje: "Fue un humilde joven con el palo y la honda y un pastor rústico, por providencia divina, quien liberó al infeliz pueblo de Israel del poder de Goliat y Faraón: fue la razón porque las lágrimas de estos pobres cautivos dieron tales voces de compasión, pidiendo justicia al cielo, que en cortos años salieron de su martirio y tormento para la tierra de promisión: mas ¡ay, que al fin lograron su deseo, aunque con tanto llanto y lágrimas! Mas nosotros, infelices indios, con más suspiros y lágrimas que ellos, en tantos siglos no hemos podido conseguir algún alivio; y aunque la grandeza real y soberanía de nuestro monarca se ha dignado librarnos con su real cédula, este alivio y favor se nos ha vuelto mayor desasosiego, ruina temporal y espiritual: será la razón porque el Faraón que nos persigue, maltrata y hostiliza no es uno solo, sino muchos, tan inicuos y de corazones tan depravados, como son los corregidores, sus tenientes, cobradores y demás corchetes: hombres por cierto diabólicos y perversos, que presumo nacieron del lúgubre caos infernal, y se sustentaron a los pechos de harpías más ingratas, por ser tan impíos, crueles y tiranos, que dar principio a sus actos infernales, sería santificar en grado muy supremo a los Nerones y Atilas, de quienes la historia refiere sus iniquidades, y de sólo oír se estremecen los cuerpos y lloran los corazones. En éstos hay disculpa porque al fin fueron infieles; pero los corregidores, siendo bautizados, desdicen del cristianismo con sus obras, y más parecen Ateístas, Calvinistas y Luteranos, porque son enemigos de Dios y de los hombres, idólatras del oro y la plata: no hallo más razón para tan inicuo proceder, que ser los más de ellos pobres y de cunas muy bajas. Y como tales se conducen".

(Una y otra vez insistía Túpac Amaru en sus argumentos contra los cuales, nadie, ni siquiera Jáuregui el virrey y menos Areche el visitador general que había llegado con instrucciones humanitarias del Rey, podían aducir nada. Y pensando Túpac Amaru que la política era tarea muy complicada seguía.)

"Público y notorio es lo que contra ellos han informado al Real Consejo los S. S. Arzobispos, Obispos, Cabildos, Prelados y Relijiones, Curas y otras personas constituidas en dignidad y letras, pidiendo remedio a favor de este Reyno: causa de ellos, como al presente ha sucedido y está sucediendo, y ha sido tan grande nuestro infortunio para que no sean atendios en los Reales Consejos: será la causa porque no han llegado a los reales oídos; porque es imposible que tanto llanto, lágrimas y penalidades de sus pobres e infelices provincianos de todos estados, dejen de enternecer ese corazón compasivo y noble pecho del Rey mi Señor, para alargar su liberal mano y sacarnos de esta opresión sin treguas ni socapas, como al presente nos quieren figurar y hacernos creer en amenazas y destrozos, lo que es muy distante de la real mano."

(Veía el caudillo docenas de corregidores conspirando bajo capa con el fin de encubrirse unos a otros, falsear censos para quedarse con parte de los tributos y rentas reales y levantar armadas contra los indios que exigían que se cumpliera la justicia del Rey. Mil veces le había dado la razón el párroco de Tungasuca y otras tantas el obispo Moscoso aunque ahora, atrapado este último entre las amenazas del virrey y la angustia de los indios, se viera obligado a excomulgarlo. Sin duda, como le había dicho otras veces ante problemas y situaciones políticas arriesgadas, se hacían excomuniones a veces para evitar violencias y desastres mayores. Y seguía Túpac Amaru con su mensaje pensando al mismo tiempo que, algunas de sus mejores esperanzas le habían fallado.

Esperaba desde el principio de sus conspiraciones la ayuda de Inglaterra con armas y municiones, pero andaban los ingleses combatiendo en los Estados Unidos contra los rebeldes que querían también liberarse de su tiranía y se veían aquel año de 1781 en grandes dificultades. Había también Túpac Amaru sobrestimado el hecho de que Inglaterra estuviera en guerra con España para decidirla a ayudar a los indios peruanos, ya que si Inglaterra

combatía contra España en Europa, seguramente se uniría a la corte española en la comunidad de interses contra las insurrecciones del continente americano.
Así, pues, Túpac Amaru tenía que maniobrar únicamente con los recursos políticos que tenía a mano y sobre el terreno. Que no eran pocos y que le daban la razón y el derecho. Demasiada razón. A veces, no es bueno tener demasiada razón porque eso exaspera y saca de quicio a nuestros adversarios, y éstos, se atienen ya sólo a la ley del más fuerte sin dejarse persuadir por ninguna clase de evidencia.)
Y el mensaje continuaba: "Este maldito y viciado *reparto* nos ha puesto en este estado de morir tan deplorable con sus excesos. Allá, en los principios, por carecer nuestras provincias de los géneros de Castilla y de la tierra por la escasez de los medios de cultivo, permitió S. M. a los corregidores una cierta cuantía con nombre de *tarifas* para cada capital y que se aprovecharan sus respectivos naturales, tomándolos voluntarios, lo preciso para su aliño según el precio del lugar y, porque había diferencias en sus valuaciones según los transportes y otras causas, se asentó precio determinado para que no hubiese sopaca y engaño en cuanto a las alcábalas reales. Esta evaluación primera la han continuado hasta ahora, cuando de muchos tiempos a esta

parte tenemos las cosas más baratas. De ordinario cosas que están a dos o tres pesos nos imponen con violencia por diez o doce pesos. *(Y veía al agente del corregidor con su chupa azul bordada en plata, su tricornio y su bastón de mando, recibir, en la mesa que tenía una ranura que daba a un cajón, el dinero de los cholos y los indios, comprando por obligación cosas que no necesitaban. El dinero, cayendo por aquella ranura sobre otro montón de monedas de plata u oro hacía un ruido que despertaba en los pobres una especie de codicia melancólica.)* El cuchillo de marca menor que cuesta un real nos dan por dos pesos. *(Menos mal, pensaba Túpac Amaru, si le servía al indio de instrumento de venganza.)* Fuera de esto nos obligan a comprar la libra de fierro más ruin a peso. La bayeta de la tierra, de cualquier color que sea, no pasa de dos reales y ellos nos la dan a tres pesos. Además, agujas de Cambray, polvos azules, barajas, anteojos, estampitas, rosarios, medias, calzado, sombreros a precios escandalosos. A los que somos algo acomodados *(y Túpac Amaru creía estar viendo a algunos caciques vestidos a la europea, muy a su pesar)* nos venden randas, justillos, terciopelos, medias de seda, chorreras de encaje, hebillas, como si nosotros los indios usáramos estas modas españolas y, además, en unos precios exorbitantes, que cuando llevamos a vender no podemos recoger ni recobrar la veintena parte de lo que hemos pagado; al fin, si nos dieran tiempo y treguas para su cumplimiento fuera soportable en alguna manera este trabajo; pero luego que nos acaban de repartir se aseguran del pago con la servidumbre de nuestras personas, mujeres e hijos y ganados y tierras, si las hay, privándonos de la libertad del manejo de lo nuestro. Y así muchos desamparan sus casas por no poder pagar y se separan familias y muchas mujeres obligadas de necesidad se hacen prostitutas, de donde nacen los divorcios, amancebamientos públicos, destrucción de familas y pueblos por andar la mayor parte desertados, y luego se atrasan nuestros reales tributos porque no hay de dónde, ni cómo, poder satisfacer.

"Pase vista V. S. a los informes hechos sobre estas materias por los Ilmos. S. S. doctor don Gregorio Francisco Campos obispo de La Paz *(cara juanetuda, sobrepelliz violeta, cuerpo recio de labrador, ojos feroces y mano presta para la bendición, con dos dedos beatos siempre alzados, según recordaba el caudillo),* Doctor don Manuel Jerónimo Romaní, Doctor don Agustín Gorochátegui obispo del Cuzco *(los dos amigos del caudillo, quien no cita al obispo Moscoso por haber éste decretado recientemente su excomunión);* Cabildos eclesiásticos, Prelados, religiosos de convento, los de los curas Don Manuel Arroyo *(flaco, malcarado y donjuanesco),*

Don Ignacio Castro *(quien a falta de un ama de edad canónica — cincuenta años — tenía dos de veinticinco),* y otros señores de este obispado y llegará a ver V. S. tanta iniquidad que, no sólo se escandalizará, sino que verterá lágrimas de compasión de oír tanto estrago y ruina de las provincias. *(Olvidaba Túpac Amaru que el visitador general y, su mayor enemigo, Areche, habían ido al Perú, no a calificar hechos morales, sino a imponer el orden a toda costa.)*

"El finado don Antonio de Arriaga, que fue corregidor de esta provincia, nos repartió mercancías por valor de trescientos mil pesos, según consta en el libro y borradores que están en mi poder. La tarifa de esta provincia era de 112.000 pesos oro por un quinquenio. Repare ahora V. S. el exceso y de este modo de proceder son todos los corregidores; fuera de tener este caballero tan mala conducta con sus cobradores, de apalearlos, tratarlos mal de palabra *(la mejor que les decía era cornudos e hijos de puta),* y no sólo a ellos sino a otros coprovincianos nuestros, así seculares como curas sacerdotes *(había llamado puto tonsurado al padre Carlos Rodríguez),* personas de todo respeto por decir que venía de los primeros grandes de España. Fuera de esto, su mal genio y soberbia fue causa de que toda la provincia le fabricara su ruina, que no fui yo quien lo ahorcó, sino todos juntos. No menos hostilizados los de las demás provincias que intervinieron en la ejecución, han logrado el indulto aun en otro obispado, que a no haber su merced tratádonos con agravios de esta clase, sino hecho su negocio, como todos los demás, no hubiera sucedido tal fracaso.

"Los corregidores nos apuran con sus repartos hasta dejarnos lamer tierra; parece que van de apuesta para aumentar sus caudales en ser unos peores que otros: dígalo el corregidor de Chumbivilcas *(un hombre más negro que los zambos indígenas aunque nacido en España y que tenía a gala jurar en español, en quechua, en aymará y en guaraní),* que en término de dos años quiso sacar un aumento mayor que lo que su antecesor había hecho en cinco: al fin adelantó mucho su caudal, que aun su propia vida entró en el cúmulo de sus propios bienes, y salió muy lucido. Son los corregidores tan químicos, que en vez de hacer de oro sangre que nos mantenga, hacen de nuestra sangre sustento de su vanidad. Viéndose, pues, su difícil cumplimiento, nos oprimen en los obrajes, chorrillos y cañaverales, cocales, minas y cárceles de nuestros pueblos, sin darnos libertad en el mejor tiempo de nuestro trabajo; nos recojen como a brutos, y ensartados nos entregan a las haciendas, para labores, sin más socorro que nuestros propios bienes, y a veces sin nada.

"Los hacendados, viéndonos peores que a esclavos,

nos hacen trabajar desde las dos de la mañana hasta el anochecer que parecen las estrellas, sin más sueldo que dos reales por día: fuera de esto nos emplean los domingos con faenas, con pretexto de acabar nuestro trabajo, y con hacer vales parece que pagan. Yo que he sido Cacique tantos años, he perdido muchos miles así porque me pagan tan mal en efectos, y otras veces nada, porque se alzan a mayores. Y yo por compasión y justicia pagaba a mis indios."

(Recordaba el caudillo aquellos rostros de fatiga, que los indios en su mayoría ni aún coca tenían para mascar y sacar alguna falsa energía, y después de darles algo de comer se sentaba con ellos a escuchar la siniestra quena, y a pensar en la muerte liberadora. Túpac Amaru seguía.) "Para salir de este vejamen en que padecemos todos los provincianos, sin excepción de persona aun eclesiástica, ocurrimos muchas veces a nuestros privilejios, preeminencias, excepciones para contenerlos; y luego atropellan las mercedes reales, por mejor decir, menosprecian los superiores mandatos, arrebatados de sus intereses, de donde nace un proloquio vulgar: *que las cédulas reales, ordenanzas y provisiones están bien guardadas en las cajas y escritorios.* Lo más gracioso y sensible que concluido el quinquenio, o bien en sus *residencias* quedan santificados para ejercer otro Corregimiento, haciendo represen-

taciones falsas con perdimiento de respeto a la real corona; y es la razón de que los jueces de las residencias y sus escribanos son sus criados o sus dependientes, y éstos por no perder la gracia de ellos responden a las partes que demandan, con taimadas razones, y de este modo prevalece la injusticia contra la justicia, debiendo suceder lo contrario para extirpar los vicios.

"¡Qué prevenciones, qué diligencias, qué ruegos y encargos nos tiene hecho nuestro real monarca! Como si para remediarse no fuera soberano, sin más mira que nuestra conservación, paz y sosiego en estos vastos reinos. En las leyes de la Recopilación L. 2, Tit. 6, 9, 13 y 16, ordena su magnánima grandeza, que se conserven nuestras vidas y estados, según pide nuestra naturaleza, sin extraernos de un lugar a otro menos de 29 leguas, y no más. A la mita de Potosí tenemos que caminar más de tres meses, sin que seamos pagados cuando el Rey tiene mandado en sus reales disposiciones *(y él había visto algunas de ellas en hermosa letra y en vitelas de lujo con su cinta colgando y su sello)* lo contrario, de que los indios sean amparados y desobligados a esta mita por el referido daño, y aunque han hecho varios recursos los interesados a los tribunales que corresponde, han sido vistos con desprecio a pesar de tan justa causa, y así, los mismos españoles del Perú destruyen el reino y sus pueblos con muertes de indios que, apenas se restituyen a sus pueblos y al mes, poco más o menos, rinden la vida con vómitos de sangre."

¡Cuántas veces había Túpac Amaru ido a buscar al buen párroco de Tungasuca para administrar los últimos sacramentos! La sangre del moribundo había manchado a menudo las ropas rituales y también las del Inca que sostenía a veces al moribundo para que alentara mejor. En algunos casos, el Inca blasfemaba en aymará — idioma que no entendía el sacerdote —, protestando contra un dios que permitía tanta injusticia, igual que los indios protestaban, tal vez, con las canciones de la quena. Y en especial con aquella canción expresamente prohibida por la Iglesia que comenzaba: Manchay-Puito hampuy nihuay...

El Inca decía con una sinceridad que no dejaba lugar a dudas: "No tengo palabras para explicar su real grandeza, que como es el Rey nuestro amparo, protección y escudo, es el paño de nuestras lágrimas; que como es nuestro Padre y Señor es nuestro refugio y consuelo; no halla voces nuestro reconocimiento, amor y fidelidad, para del todo explicar y decir, qué cosa es el Rey mi Señor. Y si combatimos, no es contra él sino contra sus enemigos. Publiquen su real grandeza, expliquen la fragua de su amor las Recopilaciones de Indias, las ordenanzas y cédulas reales, las provisiones, encargos y ruegos y demás prevenciones dirigidas a los S. S., Virreyes, Presidentes, Oidores, Regimientos, Audiencias, Chancillerías, Arzobispos, Obispos, Curas y demás jefes sujetos a la corona, que juzgo en todo lo referido no hay ápice, punto ni coma que no sea a favor de sus pobres indios neófitos. *(Y veía pulular todos aquellos jerarcas con sus hábitos, dalmáticas, togas y uniformes, en torno a la indiada. No faltaban santos sacerdotes que evangelizaban con el ejemplo y se quitaban el pan de la boca para darlo a los pobres, pero abundaban los prebendados, corregidores y jueces rapaces como los buitres y las garduñas que, entre considerandos y otrosíes, sacaban de las magras faldriqueras de los indios el último peso.)* Pues impuesta de nuestra desdicha y abandono, aún la Sede Apostólica romana nos exime de muchas cargas y diezmos sin distinción de personas. *(Se le representaba el Papa con la tiara puesta dictando a sus secretarios bulas especiales en favor de los indios.)* Es pues de sentir que, siendo tan excesivo el favor y amor de nuestros soberanos de Madrid y de Roma que nos amparan y protegen con cédulas y con bulas, sea tan grande la fragua de nuestro tormento y cautiverio. ¿Qué razón hay para que así sea ni qué jefe que así lo mande? La ley 1.ª, título 1.º del libro 6.º de la Recopilación de Indias ordena que nosotros seamos atendidos, favorecidos y amparados por las justicias lo mismo seculares que eclesiásticas *(y veía a los togados y a los obispos de pontifical afirmando en silencio con expresiones nobles)* con amor y paz; ahora, pues, para lograr ese beneficio en el caso presente, no queremos que nos juzguen amparen y protejan por las leyes de Castilla, sino por las nuestras propias, que son las antedichas Recopilaciones, Ordenanzas y Cédulas reales, como dirigidas, que son, a nuestros reinos para nuestro bien".

En aquel momento bajo sus ventanas se veía a la soldadesca india cantar. Los ejércitos quechuas eran los únicos en el mundo cuyas orgías — si se puede hablar así — eran tristes:

Los mineros como momias
su pena dicen callando
el dolor de las pallaris
junto al viento se derrama.

Otros cantaban cosas raras que no tenían nada que ver, tampoco, con su situación del momento:

Hoy es el día de mi partida,
hoy no me iré, me iré mañana.
Me veréis salir tocando una flauta de hueso
llevando por bandera una tela de araña;
será mi tambor un huevo de hormiga,
y mi montera será un nido de colibríes.

Y seguía Túpac Amaru consultando su cuaderno de notas y escribiendo: "Las leyes 8, 9, 10, 11 y 12 mandan según dictamen de nuestros monarcas, que en caso de haber rebelión, aunque sea contra su real corona *(y se veía a sí mismo abofeteando al secretario del Real Despacho),* y la presente no lo es sino contra los inicuos corregidores, nos traigan con suavidad a la paz, sin guerras, robos ni muertes; que nos den con aquellos requerimientos que ordenan las leyes un advertimiento y otro por una, dos y tres veces y las demás que convengan, hasta atraernos a la paz que tanto desea nuestro monarca; que nos otorguen en caso necesario algunas libertades o franquicias de tributación, y si hechas todas esas prevenciones no bastan, seamos castigados conforme lo merezcamos y no más, es decir, sin cruel venganza.

"Siempre la real mente, como tan noble y virtuosa piensa en favorecernos aún en caso de experimentar en nosotros grande contumancia. Y digo ahora: qué suavidad, qué paz, qué libertades o franquicias, qué requerimientos, siquiera por una vez, hemos merecido hasta hoy día de la fecha, aun habiendo hecho nuestra embajada ofreciendo la paz? ¿Qué personas de sagacidad y experiencia han venido a guerrearnos? ¿Solamente nuestros enemigos los correjidores? ¿Quiénes en estos tres meses de tregua, hasta hoy con tanto encono mantienen las tropas con capa del Rey, sino los correjidores; no por amor a su Rey y Señor sino por recobrar sus intereses con mayor fuerza? *(Cuando escribía estas palabras creía estar viéndolos, a los corregidores, bailando alegremente en torno a los cuerpos de los indios muertos, mientras otros, investidos por sacrilegio de ropas litúrgicas, inciensaban a un becerro de oro.)*

"Se ha publicado en esa ciudad y en otras partes la real cédula de que no haya mas repartos, y según cartas que se han visto en estos lugares, han perdido para retorno de ese beneficio el reprimirnos a fuego y sangre: el matarnos como a perros sin los sacramentos necesarios, como si no fueramos cristianos; botar nuestros cuerpos en los campos para que los coman los buitres; matar nuestras mujeres e hijos *en los pechos de sus madres!* ¿Robarnos es el modo de atraernos a la paz y a la real corona de España? ¡Qué cosa tan estraña es y distinta de la real mente lo que al presente se practica! ¿Echar edicto de perdón para los unos y castigos para los otros, es el modo de sosegar los pueblos?

"No es sino causar mayor encono y alboroto a sus moradores; por que como en los pueblos unos a otros se dan la mano, unos y otros llegarán a fomentarse para mayor rencor y odio y violencia."

Luego hablaba de sus familiares y auxiliares que no habían cometido otro delito que obedecer y seguir sus órdenes, y ofrecía respetar vidas y haciendas en caso de victoria, fuera del campo de batalla. Se conducía en eso como los grandes patricios de la antigüedad clásica. Y seguía: "Para continuar el fomento contra las provincias, han echado la voz de que nosotros queremos apostatar de la fe; negar la obediencia a nuestro monarca, coronarme, volver a la idolatría: celebraría en mi alma de que los correjidores dieran pruebas convincentes de estos tres puntos: mas de ellos afirmaré que son apóstatas de la fe y traidores a la corona, según los puntos siguientes: Ellos se oponen a la ley porque del todo desechan los preceptos santos del decálogo: saben que hay Dios y no lo creen remunerador y justiciero, y sus obras nos lo manifiestan: ellos mismos desprecian los preceptos de la Iglesia y los santos sacramentos, porque vilipendian la disciplina y penas eclesiásticas; tienen todo, y lo aprenden como meras ceremonias o ficciones fantásticas; ellos nunca se confiesan, porque están con el robo en la mano, y no hallan sacerdote que los absuelva. Apenas oyen misa los domingos con mil aspavientos y ceremonias, y de ellos aprenden los vecinos su mal ejemplo: ellos destierran a los fieles de las Iglesias, mediante sus cobradores y corchetes, para que los indios y españoles se priven del beneficio espiritual de la misa; se ponen de atalayas en las puertas de las iglesias para llevarlos a la cárcel donde se mantienen dos o tres meses hasta pagarles lo que deben: ellos violan las Iglesias: maltratan sacerdotes hasta hacerles derramar sangre, menosprecian las sagradas imágenes: privan los cultos divinos, pretextando que se empobrecen; y no es sino porque sus intereses no se atrasen: ponen reparto a los párrocos vigilantes y timoratos con sus pláticas y sermones, para que el fervor de los fieles y cumplimiento de los preceptos de Dios no se perturben y resfríen en ellos con sus violencias y extorsiones y menosprecios; les ahuyentan y entibian el amor de Dios y de sus Santos; de donde nace otra mayor desdicha; y es que los párrocos y sus tenientes olvidan las obligaciones de su ministerio, y sólo aspiran al logro de su beneficio: esto sucede en los más de los pueblos porque son más los corregidores inicuos, y así un mal llama a otro.

"En cuanto al Rey se oponen a él en esta forma: hay muchas haciendas en los lugares respectivos a sus jurisdicciones; éstas tienen indios yanaconas asistentes; de éstos, tales y cuales pagan tributo y los más son vagos y fuera del censo, porque ni son conocidos ni conocen el territorio para que cojan el reparto; todos son traídos por trailla y minuta y la mayor parte llenan los obrages, cañaverales del azúcar y cocales. Son como los gamonales que no tributan sino al hacendado que se aprovecha bien de su trabajo y si algunos acuden a sus caciques son del todo ignorados. Antes se ven privados de sus escasos bienes, porque los nombran para dos o tres años, de manera que los acomoden y no puedan dejar su trabajo y, al cabo, les rematan sus bienes con pretexto de que deben tributos atrasados, y luego ¡cuántos de ésos se ven pordioseros! En cambio los corregidores, con falsos censos y falsos papeles de beneficios hechos a los indios, se quedan con la mitad de los tributos, e incluso más, y muchos hacendados ni tan siquiera pagan las reales alcabalas.

"De estos dos capítulos infiera V. S. si los indios o los corregidores son apóstatas de la fe y traidores al Rey. Mal se compadece de que seamos como ellos nos piensan cuando en ellos se verifican las razones antedichas; ellos son, por lo tanto, los que deben ser destruidos a sangre y fuego. Y matando nosotros a los corregidores y a sus secuaces *(otra vez aparecía el cuerpo de Arriaga oscilando, pendiente de la horca)* hacemos grandes servicios a su majestad y somos dignos de premio y correspondencia; mas como ellos con sus cavilaciones, empeños y tramas figuran las cosas a gusto de su paladar, siempre nos hacen merecedores de castigo. *Seguía la rueda de ministriles de casaca y peluca en torno a los indios muertos, y en algún lugar sonaba la quena con los versos ya sabidos:*

... no es un buen dios el que siembra
en nuestra vida las penas
del infierno

Y los ministriles parecían bailar desentendidos de aquellas penas, y atento cada cual, a los pesos de oro que sonaban en la faldriquera del vecino y a la triste sospecha de que fueran más de los que tenía él mismo. "Para mayor prueba de fidelidad — seguía escribiendo Túpac Amaru — que debemos prestar a nuestro monarca, ponemos nuestras cabezas y corazones a sus reales plantas, para que de nosotros determine y haga lo que fuere de su real agrado y tuviese por más conveniente; que como somos sus pobres indios que hemos vivido y vivimos debajo de su real soberanía y poder, no tenemos a dónde huir, sino sacrificar ante esas soberanas aras nuestras vidas, para que, con el rojo tizne de nuestra sangre, quede sosegado ese real pecho. *Aquí repetía que si había culpables él era el único por haber inducido a todos los demás.* Y si en el haber escrito papeles y hecho discursos que se quieren juzgar como disonantes a las regalías de mi señor hay culpa, castíguenme a mí, y no paguen tantos inocentes por mi causa; que como hasta hoy no había ninguno de parte de mis paisanos que pusiese en práctica todas las reales órdenes, me expuse yo sólo a defenderlo poniendo por delante mi vida; y si esta acción tan heroica que he hecho en alivio de los pobres provincianos, españoles e indios, buscando de este modo el sosiego de este Reyno, el adelantamiento de los reales tributos, y que no tenga en ningún tiempo opción de entregarse a otras naciones infieles, como lo han hecho muchos indios, es delito; aquí estoy para que me castiguen, sólo al fin de que otros queden con vida, y yo solo con el castigo; pero ahí está Dios, quien con su grande misericordia me ayudará y remunerará mi buen deseo."

Decía esto último Túpac Amaru convencido de que, a falta de la justicia humana, sería retribuido por la bondad de Dios con su justicia tan diferente de la nuestra. Y continuaba: "No puedo dejar de informar a V. S. de otro mal que se padece, que es la disipación de los templos en su aliño y menoscabo en sus rentas; de suerte que ver un ministro de la Iglesia en el altar, causa *grima,* por el total descuido que tienen los curas de las vestiduras sagradas. Para esto que es coger obvenciones y las rentas de la Iglesia, hacer comercio de ellas tienen particular gracia; porque todo cede al fausto, pompa y vanidad de sus familias: en sus casas parroquiales y aderezos de mulas, se ven las mejores tapicerías, espejos repisas de marquería; y en los templos divinos, trapos y andrajos. Y fuera cuanto dijera de los curas chapetones, tengo hecho reparo de que omiten los cargos de su obligación, y les parece que satisfacen por terceras personas. Ellos como no saben la lengua de la tierra por ser extranjeros, no explican por sí mismos la doctrina, de suerte que hay muchachos y muchachas de veinte años, que no saben ni el persignarse y enseñan la palabra de Dios; yo juzgaría temerariamente de la poca suficiencia de ellos; mas atribuyo a la permisión divina que así nos convendrá".

Pero no era sólo eso, sino otros menoscabos del orden religioso y civil, porque "muchos indios no tienen con qué casarse, y por decir que son solteros no pagan el tributo entero, y muchas veces nada; y la razón es, porque como sus padres vienen destruidos de Potosí, de haber hecho Alferazgos, mitas y padecido en las panaderías, arrendados como esclavos, o porque quedan sumamente destruidos de los correjidores, o porque sus padres son pobres por las obligaciones de los pueblos u otros motivos, los curas por no perder su *ricuchicos* y otros abusos, los dejan vivir a su agrado; y cuando ellos menos piensan los coge la muerte en mal estado, y no sé, Señor, cómo puedan dar su descargo al Juez Divino".

La inocencia de Túpac Amaru mezclábase con su

generosidad de gran señor y sus habilidades de político. Creía en la buena fe de Areche, visitador del Rey desligado de las sucias codicias de virreyes, corregidores y doctrineros y terminaba su largo escrito así: "Tanto tengo que decir a V. S., mas lo preciso del tiempo no da lugar; y para hacer varias representaciones a la real corona de España, espero de la benignidad de V. S. me despache uno o dos letrados, peritos, desapasionados, quienes haciendo juramento de fidelidad al Rey, vengan con nuestros protectores a dirigir y gobernar nuestros asuntos, conforme fueren y cedieren al agrado de S. M. (que Dios guarde); porque como carecemos de instrucción, pudiéramos decir o pedir cosas tan diminutas o excesivas, que repugnen a la razón. También suplico y ruego que me vengan dos S. S. sacerdotes de pública virtud, fama y letras que dirijan mi conciencia y me pongan en el camino de la verdad, que es Dios nuestro último fin, para que fuimos criados, en quien espero, a quien ruego continúe la salud de V. S. por felices y dilatados años para el bien de sus provincias. — *José Gabriel Túpac Amaru*".

He aquí su verdadera firma, añadiendo al nombre el título de Inca o Inga, como dicen en quechua:

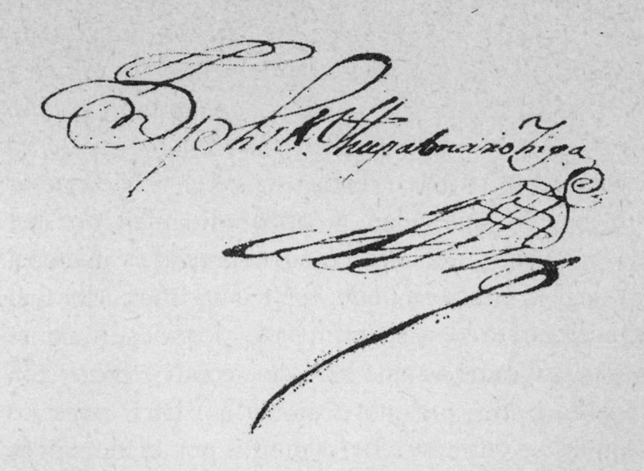

Cuando José Antonio de Areche recibió el comunicado de Túpac Amaru lo consideró lentamente y aún lo dio a leer a expertos. Todos ellos coincidieron en que el caudillo se sentía muy debilitado por las consecuencias de la batalla del Cuzco.
Y la respuesta de Areche fue inmediata y de una dureza poco acostumbrada en las negociaciones entre los ejércitos en tiempo de guerra. Que es en ese tiempo cuando suelen lucir, y estimarse más, las galas de la cortesía.

XV

Contestaba Areche: "Toda esta carta la veo puesta sin aquella sinceridad, y declarado buen fin que debía traer; y deduzco de sus espresiones que está U. mal gobernado; que tiene aún muy tibio el conocimiento de sus crímenes, y que aún no le pesan las cadenas que arrastra, como espero será muy en breve, mas no obstante me haré cargo de algunos de sus artículos, o puntos por menor, pues son a U. muy útiles los instantes si quiere volver a Dios, y restituir al Rey la obediencia que le tiene violada".

Al leer estas líneas pensó, Túpac Amaru, que no había más solución que continuar la guerra hasta el fin. Mucho le agradaba oír el rumor del ejército acampado en las cercanías de Tungasuca al que se habían incorporado unidades nuevas procedentes de los más lejanos territorios. Se oía hablar entre ellos guaraní y aymará, lo mismo que quechua y español. Esto último era obvio oyendo aquella canzoneta que alguien cantaba bajo su balcón entre risas y donaires:

Cuentan de un corregidor nada bobo,
que siempre que al buen señor

denunciaban muerte o robo,
atajando al escribano
que leía la querella,
exclamaba: ¡Al grano, al grano!
¿Hay doblas en la escarcela?

Y Túpac Amaru seguía leyendo la carta de Areche: "Usted ha finjido, según sus edictos y seducciones convocatorias, que tiene auténticas órdenes para matar corregidores sin oírlos ni hacerles causa, para quitar a los indios toda pensión, aun las justas: Usted ha promulgado bando sobre la muerte de los europeos, y U., en fin, ha señalado en toda la clase de sus papeles, unas cláusulas llenas de horror y de injusticia, de inhumanidad y de irreligión; y con todo no quiere que se le tenga por sacrílego, por apóstata, y por rebelde. Además de esto, U. por una sentencia tan terrible, y tan severa, se halla privado de la comunicación de los fieles, y se trata como si no lo fuera haciendo escarnio de unas armas eclesiásticas, con que defiende sus inmunidades la religión, el santuario, su iglesia y sus venerables pastores; y al ver que no se corrige y arrepiente, quiere que no se le note y tenga por apóstata de la comunión de los santos, y de los hijos de Jesucristo. Despierte U., Túpac Amaru, y aconseje al traidor que abusa de su índole, que no le haga pisar tan escandalosamente como pisa, las líneas santas, que separan la virtud del crimen, la fe del error y la veneración de la desobediencia. ¿En qué ley ha visto U., ni quién le conduce, que se puede ahorcar a un hombre sin oírle, prendiéndole con la asechanza, que U. aprisionó, y ahorcó a don Antonio Arriaga, corregidor de esa provincia diciendo que lo hacía en cumplimiento de la justicia del Rey y de la real audiencia? *(Túpac Amaru estaba viendo millares de muertos sacados de las minas de Potosí vomitando sangre y muriendo en el camino de sus lejanas casas, sin que los enterrara nadie por falta de dinero para los aranceles de la iglesia.)* Si usted dice que nadie cumple las órdenes de Su Majestad, ¿qué autoridad tiene usted para matar a quien tal vez podría haberlo remediado?"

Y del campamento le llegaban los silencios indios lo mismo que las risas y alegrías cholas. En aquellos silencios indios, Túpac Amaru insertaba a capricho de su imaginación dichos y cantos. A veces uno de aquellos cantos le acompañaba largas horas:

Oh, día, Sol, rey padre mío,
que sea el Cuzco el que puede
decir la última palabra
en nuestro idioma familiar.
Así te adoraremos

redondo, límpido
no igualado, no provocado
y todo el que pueda,
el poderoso
no en oro sino en virtud
y autoridad
sea tu siervo
y el señor de los indios.

Entretanto respondía Areche con la hipocresía del leguleyo que tiene detrás cabildos y audiencias: "Túpac Amaru, vuelva U. la cara a la desolación, en que ha puesto a todo el territorio invadido. Cuente U. con la imaginación de los muchos miles de muertos, que ha causado. Medite U. el fin que habrán tenido estas miserables almas, seducidas con tantos errores como les han inspirado sus jefes a su nombre; y U. por sí propio para atraerlos a su desgracia, y acaso a su condenación eterna, como es casi preciso pensar a vista de la causa, y del estado, en que los cogió la muerte, y combinado todo con la seriedad y circunspección que merece, deduzca U. luego si hubiera sido mejor *sufrir un poco más los males antiguos, interceder con Dios para que los remediase, e informar a los altos jefes de la Nación, con el fin de que no pasasen adelante".*
¿Pasar adelante? Pero los dos emisarios que ha-

bían ido a España con ese fin habían sido asesinados, uno a bordo durante la travesía, y otro, a poco de llegar a España. Y además en sus reales órdenes el Rey se mostraba informado de todo y legislaba de acuerdo con sus certeros informes. "Pero Areche quiere mi cabeza — se dijo el caudillo — y es posible que la tenga un día si antes no tengo yo la suya."

Porque el vistador general ponía las cosas en aquel último extremo. Por si había alguna duda, añadía: "Va a combatir a U. un numeroso ejército, y bien armado como creo que sepa; que tengo dada al público la noticia de que desde ahora perdono a nombre del Rey a todos los que están forzados o seducidos por medio del temor, u otras causas entre las gentes con que U. mantiene la desobediencia a S. M. a cuyo favor dice falsamente que obra, y combate, con tal de que éstos se restituyan a sus poblaciones, y que si no serán tratados con el rigor de la guerra, y como rebeldes, sacrílegos y ladrones del sosiego público, y demás principios que ofenden.

"Del mismo modo, y además del perdón va en el bando declarado un gran premio al que, o a los que me traigan vivo a U. o más de U., de lo que puede inferir el riesgo en que está su seguridad, pues espero, y tengo causas bastantes para esperar que le ha de vender aquel de quien más se confía, por lo mucho que va a ganar con entregarle, ya sea de los primeros secuaces involuntarios, o ya de los segundos luego que llegue a su noticia, como es regular, que las tengan los más a estas horas.

"Preso y entregado U. o los suyos por algunos de estos medios, combatida como lo va a estar la fuerza, con que cree que está hoy seguro, *no le queda un arbitrio mejor que elegir, que es el de venirse a poner y postrar a los pies de la justicia, y de la misericordia, temiendo que le maten si se resiste, y que le venga la eterna condenación, por resulta,* que es todo lo peor en que pueden caer U. y todos sus malos secuaces, y parientes; entre estos males ninguno hay de mejor, y más heroico rastro, que el que U. puede hacer menos con rendirse, y digo menos, pues de más misericordia es capaz el que se entrega, que el que es prendido en nuestro caso. Si U. toma este consejo y este medio le puede servir para venirse en derechura, seguro y sólo con su familia o con alguna persona de ella". *(Túpac Amaru pensaba: quieren también ajusticiar a mi mujer o a mi hijo, los canallas.) Y la comunicación de Areche concluía:*

"Entréguese U. como le prevengo, elija más este medio, que cualquiera otro alguno que le finja la esperanza, o quien no lo quiere bien, o sin error, *pues pensando como se debe pensar en la estrechez y riesgo en que U. se halla, lo mejor es ser o darse preso al que pondrá en giro toda su humanidad, y al que nada que sea alivio dejará de hacer para que U. la reciba con resignación, y con gusto sabiendo que así agrada y satisface a Dios por sus culpas, al Rey por los agravios con que le ha ofendido,* y al mundo, o este reino, por cuanto le ha escandalizado, y destruido de sus habitantes en quienes deja U. triste memoria para muchos siglos.

"Su divina Magestad ilumine a U. como puede, y le dé sólo tiempo para la penitencia.

"Cuzco y marzo 12 de 1781. —*José Antonio de Areche*".

He aquí su firma autógrafa:

Joseph Antonio de Areche

Viendo Túpac Amaru que no le quedaba otra alternativa que triunfar o morir, sintió en su ánimo esa firmeza inesperada que nos dan las resoluciones extremas aunque puedan ser contrarias. Que lo peor es siempre la indeterminación y el no saber por dónde sopla la brisa de nuestro destino.

Más seguro que nunca de sí mismo salió y fue hacia el campamento donde lo recibió la guardia formada, al estilo de las tropas españolas. El comandante era un primo de José Gabriel, llamado Francisco Túpac Amaru, quien se acercó y con los pies juntos y el sable levantado, le dio la novedad. Los indios son poco amigos de ceremonias, al menos a la manera decorativa y suntuosa de los europeos. Las suyas tienen sencillez, falta de énfasis y casi siempre carácter práctico.

Cuando Túpac Amaru hubo pasado revista a la guardia formada y hablado con uno o dos soldados, le dio a Francisco, su primo, una bolsita llena de moneda menuda y le dijo que la distribuyera entre los soldados. Era una costumbre Feudal que los españoles habían heredado siglos atrás de los árabes. Los pueblos primitivos relacionan la reverencia con el provecho, lo mismo que los niños.

XVI

La moral no era baja en el campamento de Túpac Amaru. Sus soldados no tenían la impresión de haber sido vencidos, y el recuerdo de un campo de batalla lleno de muertos enemigos confortaba, por lo menos, a aquellos que no teniendo noticia exacta de lo sucedido dormitaban mascando filosóficamente su coca.

Con la neblina del amanecer Túpac Amaru se había retirado, pero no alejado del campo sino recogido a una enorme quebrada del terreno donde disimulaba su ejército a media legua del enemigo. Se proponía, José Gabriel, dar un golpe de mano sobre el ejército del Rey, y el tiempo parecía serle propicio porque una gran tormenta se desencadenó aquel día 2 de marzo. Túpac Amaru tenía planeado un ataque por sorpresa, pero el traidor que nunca falta en tales ocasiones — el cholo Zumiaño Castro — fue al campo realista y comunicó al mariscal Del Valle los planes del Inca.

Transcurrieron sin embargo algunos días, durante los cuales, los puestos de vigías avanzados a las patrullas de caballería ligera vigilaban al enemigo. Sería ya mediados de marzo cuando salió del Cuzco un fuerte cuerpo de ejército con la orden de sumarse al que mandaba José del Valle. Es increíble el hecho de que esos refuerzos se compusieran en su mayor parte de indios "fieles", es decir, siervos de la corona española. La primera columna era mandada por Joaquín Valcárcel, y se componía de 2.500 hombres entre los cuales más de dos mil eran indios puros. En la tercera columna mandada por Manuel Villalta y formada por 2.900 hombres, había dos mil trescientos indios. En el ejército de José del Valle había todavía más "indios fieles", es decir, sumisos.

Entre todos eran unos 18.000 los soldados realistas. Ignoraba Túpac Amaru que José del Valle había recibido refuerzos. Su esposa, que era bastante adicta al ritual católico, le aconsejaba que diera la batalla el 19 de marzo, día de San José, santo patrón del caudillo. Ignoraba Micaela que el jefe del campo contrario se llamaba también José y que lo mismo le sucedía al jefe de la Junta militar, visitador de S. M. don José de Areche. Si los tres le pedían victoria al santo de su nombre, iba a verse el pobre en un gran aprieto.

Entretanto, Túpac Amaru recorría el campamento acompañado de su hijo, Hipólito, que estaba en el cuerpo de guardia jugando con otros soldados. Iban los dos hablando. Decía Hipólito:

—¿Cuándo atacaremos?

—Yo mismo no lo sé, hijo.

Transcurrieron algunos segundos en silencio y el padre añadió:
—Si lo supiera tampoco te lo diría.
—¿Por qué?
—Eres muy joven. Cuando seas más viejo y tengas experiencias de guerra lo comprenderás.
Hipólito, que era más vivaz y menos reposado que su padre, no se resignaba:
—Dices que tú mismo no sabes cuándo vamos a atacar.
—Así es, hijo.
—Pero tú eres el jefe.
—Por eso mismo estoy obligado a ser más prudente. Muchas vidas dependen de mí.
Seguía Hipólito sin comprender y su padre le dijo que la mejor posición ante un hecho de guerra, era no tener ninguna determinada y fija. Observar al enemigo y esperar con un ejército dispuesto y ágil para la maniobra.
Todavía no comprendía el joven inca y su padre le puso un ejemplo. Era uno de esos ejemplos infantiles y sabios a un tiempo que los padres suelen poner a sus niños. (Hipólito seguía siendo un niño para él.) Y el ejemplo recordaba los apólogos del conde Lucanor:
—Veamos, Hipólito. Dos hombres van juntos al río. Uno, sucio y otro limpio. ¿Quién de los dos se baña?

—El sucio — dijo Hipólito, riendo.
—No. Porque si el sucio tuviera la costumbre de bañarse y el placer del agua, no sería sucio.
—Entonces, el limpio.
—Tampoco, porque el limpio no necesita bañarse.
—Ya veo. No se baña ninguno de los dos.
—Eso, depende. Porque el sucio necesita bañarse, y el limpio lo tiene por costumbre y placer.
—Entonces se bañan los dos.
—No es seguro, porque el uno no lo necesita y al otro no le gusta.
—Bueno, padre. ¿Te estás burlando de mí?
—No, pero es la pura verdad y todas las cosas son igualmente posibles en la vida. La verdad es la que se burla y juega con nosotros, y todo consiste en estar siempre alerta y aprovechar el momento propicio para sacar alguna ventaja. Digo, en la política y en la guerra. Hay que mirar todos los problemas como ese de los dos hombres que van al río.
Aquello le parecía hábil, a Hipólito, pero exigía talento y capacidad para la decisión súbita. Su padre le dijo que fuera a Tungasuca y le dijera a su madre que estuviera dispuesta para incorporarse a él dentro de algunas horas.
Salió Hipólito y Túpac Amaru vio que se le acercaban José Verdejo, otro que celebraba el día de su santo el 19 de marzo, y Andrés Castelo. Eran

capitanes muy populares y esforzados que mandaban en realidad más fuerzas que un comandante español de batallón. Se acercaron a Túpac Amaru con el sombreo en la mano y no se lo pusieron mientras estuvieron a su lado.

—¿Está seca la pólvora? — preguntó el Inca.

—Sí.

—¿Cuánta?

—Dieciocho barriles.

—Que no estén juntos. La explosión de uno puede acabar con los otros diecisiete.

—Está previsto, señor.

Estando hablando con ellos, llegó Antonio Bastidas, cuñado del jefe, que mandaba también un escuadrón de caballería. El caudillo preguntó:

—¿Cuántos caballos listos para la brega?

—Cuatro mil, señor.

—Somos más fuertes que los godos.

—Y mejores.

—Eso se verá pronto. Ojalá tengas razón.

Antonio Bastidas y Francisco Túpac Amaru, comandante de la guardia, no se llevaban bien. A menudo tenían incidentes en los que debía intervenir, como pacificador y árbitro, José Gabriel. Era Francisco de genio vivo y pugnaz y se consideraba de sangre noble, mientras que Antonio Bastidas, hermano de Micaela, era solamente cuñado del Inca, aunque viniera de linaje de caciques del Cuzco. Entre los indios no solía haber rivalidades de esa clase, pero sí entre los españoles y algunos indios linajudos se habían contagiado. Entre los "godos" de Lima la familia más importante era la de los Guzmán, de los que había habido un príncipe elegido por rey del Perú en 1544, un medio santo en 1625. Y otros, hombres y mujeres, entre éstas una que fue denunciada a la inquisición por tener en su casa una piedra imán.

La rivalidad entre el primo y el cuñado se producía, en ocasiones triviales como la proximidad al caudillo, cuando se sentaban en el estrado familiar. En acción de guerra los dos, además de cumplir su deber de comandantes de unidades escogidas, no perdían de vista a Túpac Amaru para ayudarle si era necesario en un mal paso.

Quería Túpac Amaru, después de recorrer todos los sectores del campamento, visitar a la cacica de Acos, mujer de gran influencia e intendenta general de su ejército. Se llamaba Tomasa Condemaita y tenía fama (además de hermosa e inteligente) de saber ciencias secretas, no adquiridas de los españoles sino de los indios anteriores a Atahualpa. Eran ciencias comunes a todos los indios de Sudamérica y parecían tener, no solamente base mágica sino también a lo que hoy llamaríamos justificación psicológica y filosófica. Algunos curas que lo estudiaron dijeron que era cosa de Satanás, pero la inquisición decidió que era locura y no hizo caso. A todo esto, el ejército de José del Valle avanzaba despacio (siempre de noche) hacia el oeste del valle de Vilcamayo. Túpac Amaru conocía sus movimientos por indios corredores que iban y venían con noticias. No era la situación crítica, todavía. Cuando Túpac Amaru llegó al sector del campamento donde estaba la cacica Condemaita, vio que con ella estaba su esposa Micaela, entretenidas en un diálogo vivo y animado.

—Me dice Tomasa — se adelantó a hablar Micaela Bastidas con aquella prisa e impaciencia que parecía poner en todas las cosas — que el encuentro con los españoles no será el día de San José.

—Yo no he dicho qué día será. Tampoco podría decirlo el enemigo.

Tenía entre otros problemas Túpac Amaru el de la elección del palenque. Su campamento estaba en un lugar estratégico y bien fortificado, pero sólo podían tener en él unos ciento cincuenta caballos y los demás hasta cuatro mil estaban fuera, al pie de un amplísimo otero.

El día 19 de marzo transcurrió sin que se diera la batalla, que si en estas cosas pudiera haber comicidad, se podría haber llamado la batalla de los tres Pepes.

Según las disposiciones del plan de campaña fijado por el mariscal José del Valle, el coronel Gabriel de Avilés llegó el 23 de marzo a una distancia de dos leguas (la distancia táctica usual desde los tiempos de Julio César). El grueso del ejército de Túpac Amaru constaba entonces de no más de siete mil hombres, en las afueras de Sangarara, donde habían tenido, poco antes, su victoria. Vio el coronel Avilés en seguida que la situación estratégica de José Gabriel era muy ventajosa, y no sólo por los accidentes del terreno sino por un sistema de trincheras que podían ser temibles para el caso de un ataque con la caballería.

Quedó Avilés acampado mientras llegaban las otras columnas realistas. Túpac Amaru tenía jinetes con caballos ligeros que vigilaban al enemigo, y estaba enterado de todo. Aunque no tenía la experiencia ni los conocimientos técnicos de Avilés, contaba con su propia superioridad en caballos y también con la justicia de su causa y con la ayuda de Dios, según le había dicho el padre Rodríguez en Tungasuca. Por entonces no era conocida aún aquella redondilla cínica que dice:

Vinieron los sarracenos
y nos molieron a palos,
que Dios ayuda a los malos
cuando son más que los buenos.

Nunca habría creído Túpac Amaru que tal desaguisado fuera posible, y el cura Carlos Rodríguez había olvidado advertir al caudillo indio lo que, al parecer, nos dice Dios en el más secreto rincón de nuestras almas:

Ayúdate y te ayudaré.

Mientras pasaban los días y los ejércitos iban tomando posiciones para el combate, se oían aquí y allá las quenas indias plañideras y lúgubres:

De su piel haremos un tambor,
con sus dientes, collares,
con sus huesos flautas
y beberemos en su cráneo vacío.

Cosas parecidas se han dicho en todos los ejércitos antes de dar la batalla.
Otras veces se oían risas francas y las voces de los que, en el ocio del campamento, recordaban viejas consejas en sus idiomas nativos. Hipólito, el hijo del Inca, gustaba de oír en quechua aquella leyenda que decía:
"Años atrás la tierra nuestra estaba desnuda de todo vegetal. En la soledad, sólo el Cerro estaba de pie como un símbolo; en su faldío la escasa paja brava penosamente se ondulaba; de las quiebras, el delgado silbido del viento era el único rumor.

”En ese entonces se adelantó a nuestra época un gran hombre: era el Inca llamado Waina K’apaj, Señor y Gobernador del Tawantinsuyo entero.

”Poseía gran fortuna. En su casa, sus platos, sus vasos y sus pequeños almireces eran de oro puro; flores de oro adornaban las paredes de su vivienda.

”Algo más: guardaba pequeñas estatuillas de oro, con las imágenes de sus antepasados, para recordarlos siempre.

”Los hombres de esa época sabían trabajar muy bien, conocían el metal y apreciaban sus cualidades. Esa vez las gentes de tierra adentro, llamadas *waranies,* se levantaron en guerra y fueron hasta el Kuntisuyo maltratando y matando en su camino a cuantos encontraban.

”Se apoderaron de las tierras de Mataka, buscando reyerta de día y de noche, vinieron hasta Kantumarka, con el mismo afán de hacer daño. El Inca Waina K’apaj, anoticiado de esta subversión, se llenó de cólera, alistó a su gente y vino hasta Tarapaya; al ver el Inca la hermosa laguna, con emoción y alegría se bañó en sus aguas.

”Luego reunió más gente, e hizo que el mayor de sus hijos mandara la tropa. Él, con ventajas, ganó a los revoltosos, hasta que huyeron despavoridos.

”En el centro de la llanura había un inmenso cerro.

Abrieron una mina de plata y comenzaron a sacarla, pero entonces se oyó una voz: *no saquéis plata de este cerro, que está reservado para el hijo futuro de un futuro Inca.* Atemorizados los que trabajaban abandonaron su empresa.

"Una voz *(P'otojsin)* se había oído en el cerro. Desde entonces el nombre del cerro y de la provincia es ése: Potosí *(Una voz).*"

A Hipólito, hijo del Inca Túpac Amaru, le gustaba pensar que aquel hijo de un Inca futuro era él.

XVII

Había un viejo indio al que llamaban Curcuncho, que quiere decir fornido y pequeño, quien era un archivo de historias. De ellas, unas eran poéticas y otras sólo históricas. No faltaban algunas cínicas y bellacas.

Aquel día estaba contando a un grupo que lo rodeaba en cuclillas mascando coca, la siguiente conseja: "Pocos años antes de que llegaran los viracochas a nuestra tierra el Inca Pachacutec, acompañado de su hijo, el príncipe imperial Yupangui y de su hermano Capac-Yupangui, salió con un gran ejército de 50.000 hombres a la conquista del valle de Ica, que sus mercedes saben donde cae. Los iqueños eran gentes de paz, pero no tenían nada de cobardes y podían haberle dado algún quebradero de cabeza. Por eso el Inca antes de romper guerra les propuso a los de Ica que se sometieran a su gobierno. Lo que pasa en esos casos: unos que sí y otros que no. Como eran más los que querían la paz se tomó ese acuerdo y el Inca y sus soldados fueron bien recibidos en todas partes, es decir, en las tierras donde están las grandes haciendas que ahora se llaman Chabalina, Belén, San Jerónimo, Tacama, San Martín, Mercedes, Santa Bárbara,

Chamchajaya, Santa Elena, Vista Alegre, Sáenz, Parcona, Tayamana, Bongo, Pueblo Nuevo, Sonumpe y Tate".

Alguien añadió:

—Vuesa mercé se olvida del Molino y del Trapiche.

—Éste conoce el terreno tan bien como yo, aunque tiene cara de tonto.

Todos rieron, incluso el aludido. Y el viejo siguió contando:

—Recorriendo Pachacutec, el territorio que acababa de someter pacíficamente a su corona, se detuvo en el pago llamado Tate, cuya propietaria era una venerable anciana.

—¿Por qué de todas las ancianas se dice que son venerables? — preguntó Hipólito.

—Porque han vivido mucho y el que mucho vive mucho sufre. Y del sufrimiento viene el saber.

El viejo narrador seguía:

—La anciana tenía una hija doncella y hermosa y el Inca creyó que igual que conquistó el país conquistaría a la muchacha, pero ella, que tenía su enamorado, con el que pensaba casarse, resistió a los ruegos del soberano.

Perdida la esperanza de poseer a la doncella, el Rey le tomó un día las manos y le dijo:

—Quédate en paz, dulce paloma de este valle, y que nunca la niebla del dolor tienda su velo sobre el cielo de tu alma. Pídeme alguna merced que a ti y a los tuyos les haga recordar el amor que te tengo.

—Señor — dijo ella arrodillada —. Si te satisface la gratitud de mi pueblo, ruégote que des agua a esta seca comarca. Siembra beneficios y tendrás cosecha de bendiciones. Reina, señor, más por tu bondad que por el esplendor de tus ejércitos.

El viejo narrador concluía:

—Y el caballero Inca, subiendo al anda de oro que llevaban en hombros los nobles del reino, continuó su viaje. Durante diez días los 50.000 hombres de su ejército se ocuparon en abrir el cauce que comienza en los terrenos del Molino y del Trapiche y termina en Tate, heredad donde habitaba la hermosa doncella. A aquel ramal de río le llaman *la achirana del Inca* y da riego abundante a todas las comarcas donde están las haciendas que antes nombré.

Una muchacha del corro soltó a reír diciendo que aquella historia era invención del viejo, y éste, mirándola con ojos pícaros, recitó:

Niña de los muchos novios,
que con ninguno te casas:
si te guardas para un rey,
cuatro tiene la baraja.

Entonces rieron todos y la niña se ruborizó.
Cuando Túpac Amaru y su hijo se apartaban de allí dijo Hipólito que había oído historias mejores que aquélla. Pero su padre no le escuchaba. Fueron a donde estaban los caballos de los jefes. El príncipe Hipólito había querido siempre tener un caballo blanco y su padre se lo negaba: "Los caballos blancos — le decía — sólo son buenos para las paradas y los desfiles. En esos casos yo mismo monto un caballo blanco. Pero para la guerra, e incluso para la labranza y los transportes rápidos, no valen nada. El mejor caballo es el caballo bayo tirando a negro. El blanco es corto de vista y flojo de corvas". Hipólito prefería a pesar de todo un caballo blanco de largas crines en el cuello y en la cola. Y entero, sin capar. Los castrones no sabían revolverse en la caza, por ejemplo, cuando perseguían una vicuña salvaje o un venado.
En aquellos días, aunque los dos campos contrarios observados con catalejos parecían tranquilos y en calma, estaban entregados a los preparativos de la batalla. Bajo un cielo casi siempre nublado, el aire tenía esas vibraciones magnéticas que suelen preceder a las tormentas y que los viejos gastados por la intemperie perciben bien.
Hipólito seguía con sus curiosidades inocentes y preguntaba si *Ollantay,* la tragedia con música (una especie de ópera) representada en Tungasuca,

había sucedido en el pasado. El padre, que solía ser cuidadoso en sus respuestas, estuvo un tiempo reflexionando y dijo por fin:

—Hay dos clases de verdades: las que suceden en la vida y las que se sueñan. Estas últimas son las verdades de los poetas.

—¿Las de *Ollantay*?

—Eso es, hijo. Pero a veces las dos verdades se juntan y son una sola. Por ejemplo, un día un hombre letrado y con buena retórica escribirá algo sobre lo que estamos haciendo ahora. Y añadirá y quitará sucesos según las reglas del arte. Así, pues, todo será al mismo tiempo verdad y mentira, según como se mire.

Llegaban al reducto de la artillería y dirigiéndose al comandante Juan Antonio Figueroa, le preguntó:

—¿Qué hace aquí vuesa merced?

—Estoy a cargo de dos baterías.

—Hace ocho días firmé su destitución por la manera de conducirse en el Cuzco. Entregue el mando al teniente más antiguo y considérese bajo arresto.

El comandante miró alrededor. No había sino tiendas de campaña:

—¿Arrestado? ¿Dónde?

—Supongo que sabe vuesa mercé que hay un cuerpo de guardia bajo el mando de mi primo.

A una señal de Túpac Amaru, dos soldados desarmaron a Figueroa y lo escoltaron hasta el cuerpo de guardia del campamento, donde Francisco Túpac Amaru lo maniató y lo hizo bajar por una rampa al *impace* de los reos de delitos graves.

Hipólito estaba acostumbrado a ver en la conducta de su padre cambios súbitos, aunque nunca se advertía en ellos extravagancia ni emoción alguna aparente. Su impersonalidad era signo de grandeza moral y aún de realeza.

En el sector de los cholos, donde había tres compañías de fusileros, se producían frecuentes pendencias. Parecían haber heredado las cualidades negativas del español y del indio. En aquel momento había dos de ellos con cuchillo en mano y poncho arrollado al brazo, buscándose el flanco y al llegar el Inca se detuvieron. Alguien explicó la causa de la querella. Cada uno acusaba al otro de haber torcido la llave de su mosquete con lo cual lo había inutilizado para el combate. Y se cambiaban insultos.

Cuando supo Túpac Amaru la causa, dijo que el presunto culpable de aquellas maniobras traidoras era el capitán armero a quien habían arrestado y esperaba el juicio sumario. Uno de esos poetas de campamento que nunca faltan alzó el pito para recitar:

Antes de hacerte difunto,
godo, regodo, archigodo,
te haremos bailar por junto
y atado codo con codo
el punto y el contrapunto.

Y otro, que no quería ser menos y que conocía la excomunión de Túpac Amaru, cantó por seguidillas:

No se meta en belenes,
padre prelado,
y ocúpese tan sólo
de su breviario.
¡Ay, Moscosito!,
vamos a desollarte
como a un cabrito.

Túpac Amaru no reía escuchando estas bromas. El que reía era Hipólito, con la ligereza de ánimo de los adolescentes. El caudillo indio estaba preocupado porque la situación estratégica había empeorado últimamente.

El 23 de marzo llegó Avilés con el cuerpo de reserva y acampó a dos leguas de Túpac Amaru, cerca de Sangarara. Tenía más fuerzas Avilés que el Inca, pero estaban peor situadas, así es que el español se abstuvo de atacar y adoptó lo que él llamaba una táctica expectante. Los cholos la llamaban una *táctica huevona.* En los días siguientes, fueron llegando otras columnas realistas y ocupando posiciones de modo que Túpac Amaru quedara encerrado y no tuviera retirada posible.

El 3 de abril, el comandante en jefe realista hizo personalmente un reconocimiento de las posiciones de los rebeldes, y entre trincheras abiertas a pico y pala y anfractuosidades naturales del terreno, llegó a la conclusión de que no había manera de atacar. Eran todavía posiciones inexpugnables. Además el ejército de Túpac Amaru había aumentado hasta 14.000 hombres. En cuanto al número de caballos en él consistía la única falla y debilidad del Inca. Para alimentarlos hacían falta forrajes y éstos había que buscarlos en el fondo del valle. Túpac Amaru, después de observar durante dos días y dos noches el campo enemigo, decidió salir con la mitad de sus fuerzas en la noche del 5 al 6 de abril por el lugar que parecía menos vigilado. Esperaba así provocar el contraataque de los realistas y cogerlos entre dos fuegos. En igualdad de armas y recursos técnicos esa táctica le habría dado la victoria al Inca. Pero antes había que sacar dos o tres compañías fuera del cerco. La maniobra comenzó poniendo por delante las unidades indias más cautelosas y decididas. Pudieron llegar los primeros destacamentos a los puestos realistas avanzados y degollar a cuatro centinelas sin usar armas de fuego, pero otro vigía nocturno que se hallaba a menos de cien pasos, y que en la oscuridad de la noche oyó rumores sospechosos, disparó su arma, lo que fue la señal para que los guardias tocaran generala y todo el mundo se pusiera en pocos minutos en orden de combate. Las huestes de Túpac Amaru, atacadas por los dos flancos cuando trataban de salir con fuego de mosquetería, cañones y asaltos a la bayoneta, fueron destrozadas. Los realistas combatieron casi a mansalva y no tuvieron sino treinta muertos y, según la ley del azar autorizada por la costumbre, cuatro veces más de heridos, es decir unos ciento veinte o ciento treinta.

Serían las cuatro de la mañana cuando Túpac Amaru, su familia y los supervivientes de su Estado Mayor, trataron de ponerse en salvo. Salieron precipitadamente por el cerro de Sangarara hasta la cumbre a fin de bajar por el lado contrario y cruzar el río de Combapata a nado. Antes de llegar al río se separó del Inca su esposa y su hijo que tomaron caminos diferentes con buena escolta.

He aquí otro documento de la época tomado de Pedro de Angelís (*Colección de obras y documentos para la historia moderna y antigua de las provincias del Río de la Plata,* Buenos Aires, 1836): "Mas habiendo tenido noticia dieciocho mulatos de la infantería de Lima de la retirada del rebelde lo fueron siguiendo con el mayor empeño, pero antes que llegasen a la orilla se echó al río digo al agua el Insurgente; y los mulatos empeñados en la consecución de su arresto, con el fin de ganar los 20.000 pesos que los superiores habían ofrecido al que lo trajese vivo, se arrojaron con barbaridad al río, cuya corriente rapidísima ahogó a dos de ellos y los restantes dieciséis llegaron a la otra banda al tiempo que Túpac Amaru había hecho fuga en aquellas malezas. Los mulatos apresaron uno de sus capitanes que lo había seguido, y éste, por su libertad, ofreció entregarlo, previniéndoles a los soldados que lo siguiesen con silencio mientras él se adelantaba a llamarlo, para que conociendo su voz se detuviese. Así se ejecutó, pues a media legua poco más de distancia lo alcanzó, y entretanto consultaba su desgracia con su capitán, lo asaltaron nuestros mulatos, llevándolo preso a nuestro campo, de donde se va a trasladar con buena guardia al Cuzco. Y se le previene al señor Visitador general remita tropa o salga, si gusta, con ella al pueblo de Calca, a cuyo puesto llegará el lunes 8 del corriente; y después que se hayan tomado sus confesiones veremos los resultados de esta tragedia. La mujer del Rebelde, sus dos hijos y otros cinco de su familia experimentaron la misma suerte de aquél, pues huyendo por el camino de Livitaca para salir al de La Paz, fueron arrestados todos, con doce cargas de plata sellada, por la tropa de la quinta columna al mando de don Francisco Leysequilla y el coronel don Domingo Marnara. Sólo falta de esta maldita raza aprisionar a Diego Tupamaro, hermano del traidor; pero se puede inferir con prudencia que sus mismos indios lo hayan de entregar, para que paguen todos tan enormes delitos que han perpetrado".

Cuando se vio apresado Túpac Amaru por los dieciséis mulatos preguntó sin alterársele la voz ni descomponer el gesto:

—¿Cuánto les pagan a vuesas mercedes?

—¿Para qué queréis saberlo, señor?

—Para convencerme de que no lo hacen vuestras mercedes por propia voluntad y convicción.

—Tienen ofrecidos veinte mil pesos al que lo entregue. El oro es el oro, señor.

Otra vez el oro. Túpac Amaru comentó:

—A poco tocáis, hijos de la gran cerda. Si os pasaráis a mi bando, aunque no sois indios, yo os pagaría tres veces más. Sesenta mil.

—O nos colgarían los godos si nos echaran mano. Es más seguro y más lucido el oro de Areche, que manda en el cerro de Potosí.

Y lo maniataron.

XVIII

Aunque los documentos que relatan la prisión del Inca omiten el nombre del capitán que le traicionó, éste nombre fue conocido más tarde. El traidor se llamaba Francisco Santa Cruz, quien, además de capitán en las fuerzas tupamaristas, era compadre de Túpac Amaru según un documento hallado y publicado por el historiador Díez de Medina. No era indio, sino mestizo y su traición fue preparada y urdida por el cura del pueblo de Langui, según recuerda otro historiador: Boleslao Lewin, varias veces citado. Este cura, en carta dirigida el 6 de abril de 1781 al coronel Valle, dice visiblemente satisfecho de sí: "Vea Vueseñoría qué bien eché el cartabón", como si se tratara de un geómetra o arquitecto.

Pero otros parientes y compañeros de armas de Túpac Amaru se salvaron. Éstos fueron Diego Cristóbal Túpac Amaru, Andrés Túpac Amaru y Miguel Túpac Amaru, quienes establecieron su cuartel general en Azángaro y prepararon rápidamente un ejército para rescatar a los prisioneros cuando fueran conducidos al Cuzco. Al saberlo, se hizo cargo de la custodia de los presos el mismo Valle con un fuerte destacamento y los llevó a Urcos, provincia de Quispicanchi, a ocho leguas del Cuzco, donde le esperaba, con fuerzas mayores, el visitador Areche.

Quería ser Areche mismo el que recibiera a los presos y entrar con ellos aparatosamente en el Cuzco, en cuya plaza de armas había hecho levantar una horca como señal de sus intenciones, aunque los prisioneros no habían sido juzgados ni sentenciados. Según una relación de la época, el recibimiento fue de la manera siguiente: "A la milicia la estendieron a dos alas desde la plazuela inmediata a Santo Domingo que se llama Limapampa, hasta la puerta del cuartel [convento de la Compañía de Jesús, hoy Universidad], logrando toda la ciudad la satisfacción de ver a Túpac Amaru, su mujer, sus dos hijos y demás aliados que entraron destacados por orden del señor Visitador General. El primer objeto que se les presentó a la vista y se les hizo reconocer bastante, fue la horca que les recordó sus maldades, y castigos que por ellas han merecido".

La casa de los jesuitas iba a ser una vez más la escena de las desdichas de Túpac Amaru, ya que fue encarcelado en ella. En cuanto al aspecto que la comitiva ofrecía a su entrada en el Cuzco, lo sabemos por las referencias de un niño de ocho años que lo presenció, según testimonio de "Letras", de Lima (1946). Dice:

"Don José Túpac Amaru venía sentado como mujer en un sillón, con grillos en los pies y la cabeza descubierta para que todos lo vieran. Traía un chaleco de terciopelo negro con sobrepuesto de oro, en el pecho tenía colgando de una cadena una cruz de oro con su Santocristo, las medias eran de seda blanca y el zapato de terciopelo negro con hebilla, el semblante tranquilo y la color propia del Inca.

"Tras el desgraciado Inca venía su mujer doña Micaela Bastidas, en una mula blanca, sentada sin sillón ni sombrero tampoço, para que la conozcan bien".

Contra la costumbre en casos parecidos, nadie los insultaba ni les decía nada y más bien se veía compasión, y hasta reverencia, en las miradas de la gente.

Los indios rehicieron rápidamente sus fuerzas, y en Langui mismo (donde había sido apresado Túpac Amaru) el 6 de abril, luchaban ya valientemente contra los españoles dos ejércitos. Uno mandado por Cristóbal Túpac Amaru que fue derrotado. Sin embargo, y al mismo tiempo, en la otra orilla del río Pisac los indios obtuvieron victoria.

Después de entregar a Túpac Amaru, iba Del Valle con un fuerte ejército a pacificar las otras provincias del sur, cuando le salió al paso en las faldas del monte Condorcuyo, uno de los capitanes subordinados de Diego Cristóbal que se dirigía al Cuzco para liberar al Inca.

"Próximo ya todo el ejército español al de los insurgentes — refiere una *Relación* de la época —, los españoles les gritaban que si bajaban a dar la obediencia á S. M. serían perdonados: pero ellos obstinados les respondieron con audacia que su objeto era dirigirse al Cuzco para poner en libertad a su idolatrado Inca."

Se trabó combate: "Duró la resistencia cerca de cuatro horas y tuvimos bastantes muertos y heridos por la constancia con que los rebeldes resistieron los esfuerzos de las tropas del Rey; y para dar una idea del estado en que estaban estos indios, y que dista mucho de la sencillez y pusilanimidad en que los encontraron nuestros primeros conquistadores, referiré dos casos, que no sólo acreditan sino comprueban la bárbara obstinación que los poseía. Un indio atravesado con una lanza por el pecho, tuvo la atrocidad de arrancársela con sus propias manos, y después seguir con ella á su enemigo todo el tiempo que le duró el aliento; y otro á quien de un bote de lanza le sacaron un ojo, persiguió con tanto empeño al que le había herido, que si otro soldado no acaba con él, hubiera logrado quitarle la vida".

Así dice el cronista Odriozola en sus "Documentos históricos". Pero si los indios perdieron aquella batalla, y con ella, la última oportunidad de liberar a Túpac Amaru, los partidarios del Inca atacaban a los españoles y a los criollos, que con ellos simpatizaban, en todas partes y eran dueños de una parte considerable del sur del Perú, y de grandes territorios del noreste de la actual Bolivia.

El 14 de abril fue encerrado Túpac Amaru en el Cuzco y su celda (en el convento de jesuitas) era precisamente la que tuvo años antes el maestro de novicios, lo que quiere decir que se tuvo alguna consideración a su rango social. El 19 del mismo mes el oidor de la Audiencia de Lima, doctor Benito de la Mata Linares, como auditor de Guerra del visitador Areche, le tomó la primera declaración sin conseguir la menor noticia en cuanto a la organización de la conspiración ni a los colaboradores del Inca. Entonces fue el Inca sometido a tormento en presencia del auditor y del mismo Areche, pero de sus labios no salieron sino los gemidos del extremo dolor. En un momento en que pudo hablar, dijo a Areche:

—Aquí no hay sino dos personas implicadas: usted y yo.

El día 27 del mismo mes, apenas repuesto el Inca de las torturas, pudo hablar por la noche con su centinela y le propuso, a cambio de una gran suma de dinero, entregar a cierta persona unas líneas escritas con su sangre en un pedazo de tafetán. Le pidió también una lima con el fin de liberar sus tobillos de los grillos de hierro cuando el caso llegara. Pero la misma noche el soldado dio conocimiento de aquello al auditor y éste quiso, como es natural, conocer el nombre de la persona a quien el escrito iba a ser dirigido.

—El nombre no lo sé — decía el Inca — porque sólo lo conozco de vista, pero si lo viera lo reconocería.

Volvieron los tormentos, como se puede suponer y Túpac Amaru siguió en su negativa. En aquel segundo interrogatorio le fue fracturado el brazo izquierdo.

Otros muchos intentos hizo el Inca para establecer contactos con sus secuaces, aunque evitando siempre dar pistas o informes concretos sobre ellos. El único nombre que citó fue el de un escribano llamado José Palacios, al que dirigió una carta llamándolo amigo. El escribano, aterrorizado, puso grillos en las manos del soldado que llevó la misiva (por orden del comandante de la guardia), y avisó a las autoridades.

Pocos días después se celebró el juicio sumario contra Túpac Amaru y los parientes y amigos de su Estado Mayor que habían sido aprehendidos. He aquí la parte principal del fallo:

"... y mirando también á los remedios que exige de pronto la quietud de estos territorios, el castigo de los culpados, la justa subordinación á Dios, al Rey y á sus Ministros, debo condenar, y condeno á José Gabriel Túpac Amaru, á que sea sacado á la Plaza principal y pública de esta ciudad, arrastrado hasta el lugar del suplicio, donde presencie la ejecución de las sentencias que se dieran á su muger, Micaela Bastidas, sus hijos, Hipólito y Fernando Túpac Amaru, á su tío, Francisco Túpac Amaru, á su cuñado, Antonio Bastidas, y algunos de los principales capitanes ó auxiliadores de su inicua y perversa intención ó proyecto, los cuales han de morir en el propio día; y concluidas estas sentencias, se le cortará por el verdugo la lengua, y después amarrado ó atado por cada uno de los brazos y pies con cuerdas fuertes, y de modo que cada una de éstas se pueda atar, ó prender con facilidad a otras que pendan de las cinchas de cuatro caballos; para que, puesto de este modo, ó de suerte que cada uno de éstos tire de su lado, mirando á otras cuatro esquinas, ó puntas de la plaza, marchen, partan ó arranquen de una vez los caballos, de forma que quede dividido el cuerpo en otras tantas partes, llevándose éste, luego que sea hora, al cerro ó altura llamada Picchu, á donde tuvo el atrevimiento de venir a intimidar, sitiar y pedir que se le rindiese esta ciudad, para que allí se queme en una hoguera que estará preparada, echando sus cenizas al aire, y en cuyo lugar se pondrá una lápida de piedra que exprese sus principales delitos y muerte, para sola memoria y escarmiento de su execrable acción. Su cabeza se remitirá al pueblo de Tinta, para que estando tres días en la horca, se ponga después en un palo á la entrada más pública de él; uno de los brazos al de Tungasuca, donde fué cacique, para lo mismo, y el otro para que se ponga y egecute lo propio en la capital de la provincia de Carabaya: enviándose igualmente, y para que se observe la referida demostración, una pierna al pueblo de Livitaca en la de Chumbivilcas, y la restante al de Santa Rosa en la de Lampa, con testimonio y órden a los respectivos corregidores, ó justicias territoriales, para que publiquen esta sentencia con la mayor solemnidad por bando, luego que llegue á sus manos, y en otro igual día todos los años subsiguientes; de que darán aviso instruido á los superiores gobiernos, á quienes reconozcan dichos territorios. Que las casas de éste sean arrastradas ó batidas, y saladas á vista de todos los vecinos del pueblo ó pueblos donde los tuviere, ó existan. Que se confisquen todos sus bienes, á cuyo fin se da la correspondiente comisión á los jueces provinciales. Que todos los individuos de su familia, que hasta ahora no hayan venido, ni vinieren á poder de nuestras armas, y de la justicia que suspira por ellos para castigarlos con iguales rigorosas y afrentosas penas, queden infames e infalibles para adquirir, poseer u obtener de cualquier modo herencia alguna ó sucesión, si en algún tiempo quisiesen, ó hubiese quienes pretendan derecho á ella. Que se recojan los autos seguidos sobre su descendencias en la expresada real Audiencia, quemándose públicamente por el verdugo en la plaza pública de Lima, para que no quede memoria de tales documentos."

Dada ya la sentencia, todavía molestaron a los presos con preguntas y torturas sin poderles sacar una palabra.
Areche preguntaba a Túpac Amaru y éste repetía, tranquilo y firme:
—En todo este asunto sólo hay dos personas culpables: usted y yo. Usted por haber ganado, y yo por haber perdido.

XIX

El 18 de mayo de 1781, después de haber rodeado la plaza con milicias virreinales y asegurado las salidas (hasta en los techos de la iglesia había centinelas con armas de fuego), se llevó la ejecución de los reos a cabo. Un testigo ocular, según documento recogido por De Angelis en su obra antes citada, dice que "... el viernes, 18 de mayo, después de haber cerrado la plaza con las milicias de esta ciudad del Cuzco, que tenían sus rejones y algunas bocas de fuego, y cercado la horca de cuatro caras con el cuerpo de mulatos y *Huamanguinos;* arreglados todos con fusiles y bayonetas caladas, salieron de la Compañía, nueve sugetos que fueron los siguientes: José Verdejo, Andrés Castelo, un zambo, Antonio Oblitas (que fue el verdugo que ahorcó al general Arriaga), Antonio Bastidas, Francisco Túpac Amaru, Tomasa Condemaita, cacica de Acos, Hipólito Túpac Amaru, hijo del traidor, Micaela Bastidas, su muger, y el insurgente José Gabriel. Todos salieron á un tiempo, y uno tras otro venían con sus grillos y esposas, metidos en unos zurrones, de estos en que se trae yerba del Paraguay, y arrastrados á la cola de un caballo aparejado. Acompañados de los sacerdotes que los auxiliaban, y custodiados de la correspondiente guardía, llegaron todos al pie de la horca, y se les dieron por medio de dos verdugos las siguientes muertes:

"A Berdejo, Castelo y á Bastidas se les ahorcó llanamente: á Francisco Túpac Amaru, tío del insurgente, y á su hijo Hipólito se les cortó la lengua antes de arrojarlos de la escalera de la horca: y a la India Condemaita se le dió garrote en una tabladillo, que estaba dispuesto con torno de fierro que á este fin se había hecho, y que jamás habíamos visto por acá: habiendo el indio y su muger visto con sus ojos ejecutar estos suplicios hasta en su hijo Hipólito, que fue el último que subió a la horca. Luego subió la india Micaela al tablado, donde asimismo á presencia del marido, se le cortó la lengua, y se le dió garrote, en que padeció infinito porque, teniendo el pescuezo muy delicado y el caño del alentar muy pequeño no podía el torno cerrarse bastante para ahogarla, y fue menester que los verdugos, echándole lazos al pescuezo, tirando de una y otra parte, y dándole patadas en el estómago y pechos, la acabasen de matar. Cerró la función el rebelde José Gabriel, a quien se le sacó a media plaza: allí le cortó la lengua el verdugo, y despojado de los grillos y esposas, lo pusieron en el suelo: atáronle á las manos y pies cuatro lazos, y asidos éstos á la cincha de cuatro caballos, tiraban cuatro mestizos á cuatro distintas partes: — espectáculo que jamás se había visto en esta ciudad. No sé si porque los caballos no fuesen muy fuertes, ó el indio en realidad fuese de fierro, no pudieron absolutamente dividirlo, después de un largo rato lo tuvieron tironeando, de modo que le tenían en el aire, en un estado que parecía una araña, tan largos eran los brazos y las piernas. Y así el Visitador, movido de compasión, porque no padeciese más aquel infeliz despachó de la Compañía [desde donde dirigía la ejecución] una orden, mandando le cortase el verdugo la cabeza, como se ejecutó. Después se condujo el cuerpo debajo de la horca, donde se le sacaron los brazos y los pies. Esto mismo se ejecutó con la muger, y á los demás se les sacaron las cabezas para dirigirlas á diversos pueblos. Los cuerpos del indio y su muger se llevaron a Picchu, donde estaba formada una hoguera, en la que fueron arrojados y reducidos á cenizas, las que se arrojaron al aire, y al riachuelo que por allí corre. De este modo acabaron José Gabriel Túpac Amaru y Micaela Bastidas, cuya soberbia y arrogancia llegó á tanto, que se nominaron reyes del Perú, Chile, Quito, Tucumán y otras partes hasta incluir el gran Paititi, con locuras a este tono.

"Este día concurrió un lucido número de gente, pero nadie gritó, ni se oyó levantar una voz en favor ni en contra de los reos. Muchos hicieron reparos, y yo entre ellos, de que entre tanto concurso no se veía un solo indio a lo menos en el traje mismo que ellos usan, y si hubo algunos estarían disfrazados con capas o ponchos. Suceden algunas cosas que parece que el diablo las trama y dispone para confirmar a estos indios en sus abusos, agüeros y supersticiones. Dígolo porque habiendo hecho un tiempo muy seco y días muy serenos, aquél amaneció tan entoldado que no se le vio la cara al sol, dios de los Incas, y amenazaba por todas partes a llover y a hora de las 12 que estaban los caballos estirando al indio se levantó un fuerte refregón de viento y tras éste cayó un aguacero que hizo que toda la gente y aun las guardias se retirasen a toda prisa. Esto ha sido causa de que los indios se hayan puesto a decir que el cielo y los elementos sintieron la muerte del Inca al que los españoles inhumanos e impíos estaban matando con tanta crueldad".

Como el Inca no pudo ser descuartizado por los caballos, el visitador Areche buscó un responsable en el corregidor de la ciudad, a quien hizo encarcelar algún tiempo acusándolo de incuria.

Pocos años después, el día 26 de abril de 1784, recibió en Lima el virrey don Agustín de Jáuregui el regalo de un canastillo de cerezas muy curiosamente aderezado con lazo de seda y con asa de plata de Potosí. Su Excelencia era muy aficionado a